Developing
Chinese

第二版
2nd Edition

Elementary Speaking Course
初级口语

（Ⅰ）

王淑红 么书君 严提 张葳 编著

严提 插图

北京语言大学出版社
BEIJING LANGUAGE AND CULTURE
UNIVERSITY PRESS

Developing
Chinese 第二版
2nd Edition

编写委员会

主　编：李　泉

副主编：么书君　　张　健

编　委：李　泉　　么书君　　张　健　　王淑红　　傅　由　　蔡永强

编辑委员会

主　任：戚德祥

副主任：张　健　　王亚莉　　陈维昌

成　员：戚德祥　　张　健　　苗　强　　陈维昌　　王亚莉

　　　　王　轩　　于　晶　　李　炜　　黄　英　　李　超

《发展汉语》(第二版)为普通高等教育"十一五"国家级规划教材。为保证本版编修的质量和效率，特成立教材编写委员会和教材编辑委员会。编辑委员会广泛收集全国各地使用者对初版《发展汉语》的使用意见和建议，编写委员会据此并结合近年来海内外第二语言教学新的理论和理念，以及对外汉语教学和教材理论与实践的新发展，制定了全套教材和各系列及各册教材的编写方案。编写委员会组织全体编者，对所有教材进行了全面更新。

适用对象

《发展汉语》(第二版)主要供来华学习汉语的长期进修生使用，可满足初（含零起点）、中、高各层次主干课程的教学需要。其中，初、中、高各层次的教材也可供汉语言专业本科教学选用，亦可供海内外相关的培训课程及汉语自学者选用。

结构规模

《发展汉语》(第二版)采取综合语言能力培养与专项语言技能训练相结合的外语教学及教材编写模式。全套教材分为三个层级、五个系列，即纵向分为初、中、高三个层级，横向分为综合、口语、听力、阅读、写作五个系列。其中，综合系列为主干教材，口语、听力、阅读、写作系列为配套教材。

全套教材共28册，包括：初级综合（Ⅰ、Ⅱ）、中级综合（Ⅰ、Ⅱ）、高级综合（Ⅰ、Ⅱ），初级口语（Ⅰ、Ⅱ）、中级口语（Ⅰ、Ⅱ）、高级口语（Ⅰ、Ⅱ），初级听力（Ⅰ、Ⅱ）、中级听力（Ⅰ、Ⅱ）、高级听力（Ⅰ、Ⅱ），初级读写（Ⅰ、Ⅱ），中级阅读（Ⅰ、Ⅱ）、高级阅读（Ⅰ、Ⅱ），中级写作（Ⅰ、Ⅱ）、高级写作（Ⅰ、Ⅱ）。其中，每一册听力教材均分为"文本与答案"和"练习与活动"两本；初级读写（Ⅰ、Ⅱ）为本版补编，承担初级阅读和初级写话双重功能。

编写理念

"发展"是本套教材的核心理念。发展蕴含由少到多、由简单到复杂、由生疏到熟练、由模仿、创造到自如运用。"发展汉语"寓意发展学习者的汉语知识，发展学习者对汉语的领悟能力，发展学习者的汉语交际能力，发展学习者的汉语学习能力，不断拓展和深化学习者对当代中国社会及历史文化的了解范围和理解能力，不断增强学习者的跨文化交际能力。

"集成、多元、创新"是本套教材的基本理念。集成即对语言要素、语言知识、文化知识以及汉语听、说、读、写能力的系统整合与综合；多元即对教学法、教学理论、教学大纲以及教学材料、训练方式和手段的兼容并包；创新即在遵循汉语作为外语或第二语言教学规律、继承既往成熟的教学经验、汲取新的教学和教材编写研究成果的基础上，对各系列教材进行整体和局部的特色设计。

教材目标

总体目标：全面发展和提高学习者的汉语语言能力、汉语交际能力、汉语综合运用能力和汉语学习兴趣、汉语学习能力。

具体目标：通过规范的汉语、汉字知识及其相关文化知识的教学，以及科学而系统的听、说、读、写等语言技能训练，全面培养和提高学习者对汉语要素（语音、汉字、词汇、语法）形式与意义的辨别和组配能力，在具体文本、语境和社会文化规约中准确接收和输出汉语信息的能力，运用汉语进行适合话语情境和语篇特征的口头和书面表达能力；借助教材内容及其教学实施，不断强化学习者汉语学习动机和自主学习的能力。

编写原则

为实现本套教材的编写理念、总体目标及具体目标，特确定如下编写原则：

（1）课文编选上，遵循第二语言教材编写的针对性、科学性、实用性、趣味性等核心原则，以便更好地提升教材的质量和水平，确保教材的示范性、可学性。

（2）内容编排上，遵循第二语言教材编写由易到难、急用先学、循序渐进、重复再现等通用原则，并特别采取"小步快走"的编写原则，避免长对话、长篇幅的课文，所有课文均有相应的字数限制，以确保教材好教易学，增强学习者的成就感。

（3）结构模式上，教材内容的编写、范文的选择和练习的设计等，总体上注重"语言结构、语言功能、交际情境、文化因素、活动任务"的融合、组配与照应；同时注重话题和场景、范文和语体的丰富性和多样化，以便全面培养学习者语言理解能力和语言交际能力。

（4）语言知识上，遵循汉语规律、汉语教学规律和汉语学习规律，广泛吸收汉语本体研究、汉语教学研究和汉语习得研究的科学成果，以确保知识呈现恰当，诠释准确。

（5）技能训练上，遵循口语、听力、阅读、写作等单项技能和综合技能训练教材的编写规律，充分凸显各自的目标和特点，同时注重听说、读说、读写等语言技能的联合训练，以便更好地发挥"综合语言能力＋专项语言技能"训练模式的优势。

（6）配套关联上，发挥系列配套教材的优势，注重同一层级不同系列平行或相邻课文之间，在话题内容、谈论角度、语体语域、词汇语法、训练内容与方式等方面的协调、照应、转换、复现、拓展与深化等，以便更好地发挥教材的集成特点，形成"共振"合力，便于学习者综合语言能力的养成。

（7）教学标准上，以现行各类大纲、标准和课程规范等为参照依据，制订各系列教材语言要素、话题内容、功能意念、情景场所、交际任务、文化项目等大纲，以增强教材的科学性、规范性和实用性。

实施重点

为体现本套教材的编写理念和编写原则，实现教材编写的总体目标和具体目标，全套教材突出了以下实施重点：

（1）系统呈现汉语实用语法、汉语基本词汇、汉字知识、常用汉字；凸显汉语语素、语段、语篇教学；重视语言要素的语用教学、语言项目的功能教学；多方面呈现汉语口语语体和书面语体的特点及其层次。

（2）课文内容、文化内容今古兼顾，以今为主，全方位展现当代中国社会生活；有针对性地融入与学习者理解和运用汉语密切相关的知识文化和交际文化，并予以恰当的诠释。

（3）探索不同语言技能的科学训练体系，突出语言技能的单项、双项和综合训练；在语言要素学习、课文读解、语言点讲练、练习活动设计、任务布置等各个环节中，凸显语言能力教学和语言应用能力训练的核心地位。并通过各种练习和活动，将语言学习与语言实践、课内学习与课外习得、课堂教学与目的语环境联系起来、结合起来。

（4）采取语言要素和课文内容消化理解型练习、深化拓展型练习以及自主应用型练习相结合的训练体系。几乎所有练习的篇幅都超过该课总篇幅的一半以上，有的达到了2/3的篇幅；同时，为便于学习者准确地理解、掌握和恰当地输出，许多练习都给出了交际框架、示例、简图、图片、背景材料、任务要求等，以便更好地发挥练习的实际效用。

（5）广泛参考《汉语水平等级标准与语法等级大纲》（1996）、《汉语水平词汇与汉字等级大纲》（2001）、《高等学校外国留学生汉语言专业教学大纲》（2002）、《国际汉语教学通用课程大纲》（2008）、《欧洲语言共同参考框架：学习、教学、评估》（中译本，2008）、《新汉语水平考试大纲（HSK1-6级）》（2009-2010）等各类大纲和标准，借鉴其相关成果和理念，为语言要素层级确定和选择、语言能力要求的确定、教学话题及其内容选择、文化题材及其学习任务建构等提供依据。

（6）依据《高等学校外国留学生汉语教学大纲（长期进修）》（2002），为本套教材编写设计了词汇大纲编写软件，用来筛选、区分和确认各等级词汇，控制每课的词汇总量和超级词、超纲词数量。在实施过程中充分依据但不拘泥于"长期进修"大纲，而是参考其他各类大纲并结合语言生活实际，广泛吸收了诸如"手机、短信、邮件、上网、自助餐、超市、矿泉水、物业、春运、打工、打折、打包、酒吧、客户、密码、刷卡"等当代中国社会生活中已然十分常见的词语，以体现教材的时代性和实用性。

基本定性

《发展汉语》（第二版）是一个按照语言技能综合训练与分技能训练相结合的教学模式编写而成的大型汉语教学和学习平台。整套教材在语体和语域的多样性、语言要素和语言知识及语言技能训练的系统性和针对性，在反映当代中国丰富多彩的社会生活、展现中国文化的多元与包容等方面，都做出了新的努力和尝试。

《发展汉语》（第二版）是一套听、说、读、写与综合横向配套，初、中、高纵向延伸的、完整的大型汉语系列配套教材。全套教材在共同的编写理念、编写目标和编写原则指导下，按照统一而又有区别的要求同步编写而成。不同系列和同一系列不同层级分工合作、相互协调、纵横照应。其体制和规模在目前已出版的国际汉语教材中尚不多见。

特别感谢

感谢国家教育部将《发展汉语》（第二版）列入国家级规划教材，为我们教材编写增添了动力和责任感。感谢编写委员会、编辑委员会和所有编者高度的敬业精神、精益求精的编写态度，以及所投入的热情和精力、付出的心血与智慧。其中，编写委员会负责整套教材及各系列教材的规划、设计与编写协调，并先后召开几十次讨论会，对每册教材的课文编写、范文遴选、体例安排、注释说明、练习设计等，进行全方位的评估、讨论和审定。

感谢中国人民大学么书君教授和北京语言大学出版社张健副社长为整套教材编写作出的特别而重要的贡献。感谢北京语言大学出版社戚德祥社长对教材编写和编辑工作的有力支持。感谢关注本套教材并贡献宝贵意见的对外汉语教学界专家和全国各地的同行。

特别期待

○ 把汉语当做交际工具而不是知识体系来教、来学。坚信语言技能的训练和获得才是最根本、最重要的。

○ 鼓励自己喜欢每一本教材及每一课书。教师肯于花时间剖析教材，谋划教法。学习者肯于花时间体认、记忆并积极主动运用所学教材的内容。坚信满怀激情地教和饶有兴趣地学会带来丰厚的回馈。

○ 教师既能认真"教教材"，也能发挥才智弥补教材的局限与不足，创造性地"用教材教语言"，而不是"死教教材"、"只教教材"，并坚信教材不过是教语言的材料和工具。

○ 学习者既能认真"学教材"，也能积极主动"用教材学语言"，而不是"死学教材"、"只学教材"，并坚信掌握一种语言既需要通过课本来学习语言，也需要在社会中体验和习得语言，语言学习乃终生之大事。

李　泉

适用对象

《发展汉语·初级口语》(Ⅰ),适合零起点或能进行最简单而有限交际的汉语初学者使用。

教材目标

通过本教材的学习,学习者能够逐渐运用简单的汉语解决与语言学习及日常生活密切相关的问题,能就相关话题与他人进行简单的口头交际。具体而言,学完本教材,学习者可达到:

(1)准确地掌握普通话的声、韵、调及其在言语交际中的拼合及变化规律。

(2)熟练地运用初级汉语最常用的词语和基本句式进行简单的话语交谈。

(3)掌握与初级口语交际相关的功能项目和口语表达方式,并能熟练地加以运用。

(4)具备初步的汉语口语交际策略和交际技能,能在课堂语言学习和日常生活中进行简单的口头交流。

特色追求

(1)内容注重实用性

本册课文均由与学习者密切相关的课堂学习和日常生活场景构成,课文内容注重语言、场景的真实。功能句为日常生活中的常用句式,真实、上口、学了就能用。

(2)编排注重科学性

本册语法知识尽量跟随《发展汉语·初级综合》(Ⅰ),词汇的选择除与《发展汉语·初级综合》(Ⅰ)、《发展汉语·初级听力》(Ⅰ)相照应以外,着重考虑其口语常用性,并注重复现。练习体系中,理解型练习、机械型练习、交际型练习及任务型练习依次排列,相互照应。其中:"边学边练""大声读一读"为理解型练习,要求学习者在对相关内容深入理解的前提下,实现对相关汉语句式的认知、记忆,并在模仿与活用的基础上,提高汉语口语能力;"替换词语说句子"是基础汉语学习阶段必不可少的机械型练习,为脱口而出奠定语言基础;"完成对话""小组活动""复习与表达"为交际型练习,意在提高学习者的口语表达能力,并为成段表达奠定基础;"挑战自我"为任务型练习,意在拓展学习者的汉语学习能力。

(3)练习注重可操作性

本教材练习设计的宗旨是,通过合理的场景设置,将词语练习、句式表达、功能运用有机地结合在一起,让学习者在真实或尽量真实的交际情景中灵活运用所学内容。鉴于本教材使用者为汉语初学者,具体到每一课的每一项练习,都充分考虑练习的难易程度以及课堂教学的可操作性,对某些任务型练习特别设计了具有难易梯度的练习形式,以提高学习者的学习兴趣、参与意识和表达意愿,在交际活动中,学习、理解、模仿和运用所学词语、句式和功能项目,实现在"做"中"学"的教学目标,进而增强学习者的信心和成就感。

使用建议

（1）本册共23课，建议每课用4课时完成。

（2）教材的体例安排基本与课堂教学环节相吻合。教师可根据教学内容，适当安排学生走出课堂，利用所学的语言内容和交际知识完成具体的语言任务。

（3）"课堂活动与练习"中的"语音练习"贯穿全书，一是为了加强声韵拼合训练，二是在其中某些词语后加注了汉字和英文，以解决练习中的生词问题。

（4）"挑战自我"是课外拓展型练习，引导学生走入目的语社会，充分利用汉语环境。教学中可根据具体任务，适当安排任务前的准备辅导和任务后的课堂交流，以便更好地发挥本环节的应有作用。

（5）每课课后的"这些话，我能脱口而出"，供学习者记录每课最有用的功能句，借以提升学习者的口头表达能力，增强其自主学习的意识和能力。实用功能句的记录可用汉字也可用拼音，教师可适当加以指点和引导。

特别期待

◎ 认真预习和复习。

◎ 坚信"保持沉默"绝对学不好口语。

◎ 坚信"多问多说"就能学好口语。

◎ 自主学习，寻找一切机会跟中国人说汉语。

◇ 结合教学内容不断激发学习者的表达欲望。

◇ 坚信只要学习者用汉语说就是口语的进步。

◇ 帮助学习者把话说下去，而不是忙于纠正言语偏误。

◇ 不断营造适合学习者表达的和谐氛围，而不是忙于讲解。

特别感谢

本册插图由严提完成，特致谢忱。

《发展汉语》（第二版）编写委员会及本册编者

目 录 Contents

语法术语及缩略形式参照表
Abbreviations of Grammar Terms

Grammar Terms in Chinese	Grammar Terms in *pinyin*	Grammar Terms in English	Abbreviations
名词	míngcí	noun	n. / 名
代词	dàicí	pronoun	pron. / 代
数词	shùcí	numeral	num. / 数
量词	liàngcí	measure word	m. / 量
动词	dòngcí	verb	v. / 动
助动词	zhùdòngcí	auxiliary	aux. / 助动
形容词	xíngróngcí	adjective	adj. / 形
副词	fùcí	adverb	adv. / 副
介词	jiècí	preposition	prep. / 介
连词	liáncí	conjunction	conj. / 连
助词	zhùcí	particle	part. / 助
拟声词	nǐshēngcí	onomatopoeia	onom. / 拟声
叹词	tàncí	interjection	int. / 叹
前缀	qiánzhuì	prefix	pref. / 前缀
后缀	hòuzhuì	suffix	suf. / 后缀
成语	chéngyǔ	idiom	idm. / 成
主语	zhǔyǔ	subject	S
谓语	wèiyǔ	predicate	P
宾语	bīnyǔ	object	O
补语	bǔyǔ	complement	C
动宾结构	dòngbīn jiégòu	verb-object	VO
动补结构	dòngbǔ jiégòu	verb-complement	VC
动词短语	dòngcí duǎnyǔ	verbal phrase	VP
形容词短语	xíngróngcí duǎnyǔ	adjectival phrase	AP

汉娜 Hannah

Hànnà

友美 Tomomi

Yǒuměi

李雪 Li Xue

Lǐ Xuě

本书人物
Characters

吉米 Jimmy

Jímǐ

朴大中 Park Dae-Jung

Piáo Dàzhōng

马丁 Martin

Mǎdīng

1 你　好
Hello

语音部分
Pronunciation Part

跟我学拼音　01
Follow Me to *Pinyin*

1 声母和韵母　*Initials and finals*

声母　Initials

b	p	m	f
d	t	n	l
g	k	h	
j	q	x	
zh	ch	sh	r
z	c	s	

韵母　Finals

a	o	e	er					
ai	ei	ao	ou	an	en	ang	eng	ong
i	ia	ie	iao	iu (iou)	ian	in	iang	ing	iong
u	ua	uo	uai	ui (uei)	uan	un (uen)	uang	ueng
ü	üe	üan	ün (üen)					

2 声调 *Tones*

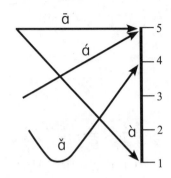

mā	妈 mother	má	麻 flax	mǎ	马 horse	mà	骂 scold
bā	八 eight	bá	拔 pull out	bǎ	靶 target	bà	爸 father
tāng	汤 soup	táng	糖 sugar	tǎng	躺 lie down	tàng	烫 very hot

3 声韵拼合 *Syllables*

韵母 声母	e	e	a	ei	
k	kě				
l		lè			
	可乐 kělè				
k			kā		
f				fēi	
				咖啡 kāfēi	

4 轻声 *Neutral tone*

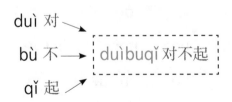

跟我一起练 02
Learning by Practice

1 拼合练习 *Spell and read*

bā	pā	mā	fā	bō	pō	mō	fō
dē	tē	nē	lē	dū	tū	nū	lū
jī	qī	xī	zuō	cuō	suō		
guā	kuā	huā	zhēng	chēng	shēng	rēng	

2 熟读四声 *Practice tones*

ā	á	ǎ	à	
ē	é	ě	è	
ō	ó	ǒ	ò	
nī	ní	nǐ	nì	
hāo	háo	hǎo	hào	Nǐ hǎo! (How do you do?)
zāi		zǎi	zài	
jiān		jiǎn	jiàn	Zàijiàn! (Good-bye!)
shēn	shén	shěn	shèn	
lāo	láo	lǎo	lào	
shī	shí	shǐ	shì	lǎoshī (teacher)

Shěn lǎoshī (Mr. Shen / Ms. Shen)

3 轻声练习 *Practice neutral tone*

nǐmen you	wǒmen we, us	tāmen they, them
bàba father, dad	māma mother, mum	gēge elder brother
jiějie elder sister	dìdi younger brother	mèimei younger sister

4 辨音辨调 *Read and distinguish*

bà—pà	nín—níng	jī—zhī	mù—hù
yán—xián	gàn—hàn	zì—sì	qū—qī
tā—tà	dī—dì	xiāng—xiàng	shuí—shuǐ
ōu—ǒu	liú—liù	hē—hé	ǎi—ài
zuó—cuò	shǐ—xì	hú—gù	wǒ—wú
xùn—jué	kǒu—gòu	fēn—hěn	qián—juàn

5 熟读音节 *Read and repeat*

kàn	tīng	zhù	lái	xiě	dú	mǎi	shuō
xuéxí		Hànyǔ		xuésheng		péngyou	

课文部分

Text Part

跟我读，学生词 **03**

New Words

1.	你	nǐ	*pron.*	you
2.	好	hǎo	*adj.*	good, well, OK
3.	老师	lǎoshī	*n.*	teacher
4.	您	nín	*pron.*	you (*respectful form*)
5.	你们	nǐmen	*pron.*	you (*plural form*)
	们	men	*suf.*	*used after a personal pronoun or a noun to show a plural number*
6.	再见	zàijiàn	*v.*	good-bye

课　文

Text

❶

你好！
Nǐ hǎo!

你 好！
Nǐ hǎo!

你们 好！
Nǐmen hǎo!

❷ 老师，您 好！
Lǎoshī, nín hǎo!

❸ 再见！
Zàijiàn!

再见！
Zàijiàn!

课堂活动与练习
Classroom Activities and Exercises

一、语音练习　*Pronunciation*　

bàba 爸爸 father, dad	māma 妈妈 mother, mum
Lǐ lǎoshī 李老师 Ms. Li (a teacher)	Wáng lǎoshī 王老师 Mr. Wang (a teacher)

二、大声读一读 *Read aloud*

你 nǐ	你们 nǐmen	您 nín		
好 hǎo	你好。 Nǐ hǎo.	您好。 Nín hǎo.	老师好。 Lǎoshī hǎo.	你们好。 Nǐmen hǎo.
老师 lǎoshī	李老师 Lǐ lǎoshī	王老师 Wáng lǎoshī	老师，您好。 Lǎoshī, nín hǎo.	李老师，再见。 Lǐ lǎoshī, zàijiàn.

三、替换词语说句子 *Substitution drills*

1. 老师，您好!
   <u>Lǎoshī</u>, nín hǎo!

爸爸 bàba	妈妈 māma
李老师 Lǐ lǎoshī	王老师 Wáng lǎoshī

2. 你们 好!
   <u>Nǐmen</u> hǎo!

老师 lǎoshī	爸爸 bàba
妈妈 māma	

四、小组活动 *Group work*

拼读本册书人物名字（见 II 页 "本书人物"），并打招呼。

Pronounce the names of the characters on Page II and say hello to them.

挑战自我
Challenge Yourself

交际任务 *Communication task*

用拼音记下你的三位老师和三个同学的名字，和他们打招呼。

Write down 3 names of your teachers and 3 names of your classmates, say hello to them.

老师　teacher	同学　classmate
lǎoshī	tóngxué

这些话，我能脱口而出

2 谢 谢
Thank you

跟我学拼音 06
Follow Me to *Pinyin*

1 三声变调 *Third tone sandhi*

nǐ 你 ⟶
hǎo 好 ⟶ ní hǎo 你好

2 "不" 的变调 *Tone sandhi of "不"*

	hē 喝	bù hē 不喝
bù 不	lái 来	bù lái 不来
	mǎi 买	bù mǎi 不买
	qù 去	bú qù 不去

跟我一起练 07
Learning by Practice

1 拼合练习 *Spell and read*

è	ài	yá	běn	nào	lóu	yǔ	mài
chà	zhuā	gēn	kěn	hái	hòu	jǔ	nǚ
fàn	hàn	shī	xī	rì	lì	zuó	huó
bǎn	bāng	pín	pīng	kàng	kuàng	quē	qún

8

2 熟读四声 *Practice tones*

lāo	láo	lǎo	lào	
shī	shí	shǐ	shì	lǎoshī (teacher)
zāo	záo	zǎo	zào	
shāng		shǎng	shàng	zǎoshang (morning, early morning)
xiē	xié	xiě	xiè	xièxie (thank you)
bū	bú	bǔ	bù	
kē	ké	kě	kè	
qī	qí	qǐ	qì	bú kèqi (you're welcome)
duī			duì	duìbuqǐ (sorry)
	méi	měi	mèi	
guān		guǎn	guàn	
xī	xí	xǐ	xì	méi guānxi (it doesn't matter)

3 三声变调 *Practice third tone sandhi*

nǐ hǎo	hěn hǎo	xiǎojiě	shuǐguǒ
xiǎoyǔ	shǒubiǎo	yě hǎo	suǒyǐ

4 "不" 的变调 *Practice tone sandhi of* "不"

bù chī	bù lái	bù xiě	bú kàn
bù chī bù hē	bù tīng bú kàn	bú jiào bù lái	bú wèn bù shuō

5 辨音辨调 *Read and distinguish*

huán—hán	ròu—ruò	rì—rè	zhè—shè
lǜ—lù	bà—pà	bí—pí	hù—fù
zhí—zhǐ	xiā—xiá	zhē—zhè	yí—yǐ
zhōng—zhǒng	dǔ—dù	qí—qì	wú—wǔ
qián—jiāng	jiě—xuě	niú—liù	nǐ—nín
yǔ—xì	dà—tā	máng—mín	shàng—xià

6 熟读音节　*Read and repeat*

qù	chī	hē	jiào	zuò	kāi	shì	yǒu
shuōhuà		shuìjiào		gōngzuò		xià yǔ	
dǎ diànhuà		mǎi dōngxi		zuò zuòyè		qù jiàoshì	
yì běn shū		yí kuài qián		bú huì lái		bù hē shuǐ	

课文部分

Text Part

跟我读，学生词　08

New Words

1.	早上	zǎoshang	*n.*	morning
2.	谢谢	xièxie	*v.*	thank you
3.	不客气	bú kèqi		you're welcome
4.	对不起	duìbuqǐ		sorry, I'm sorry
5.	没关系	méi guānxi		it doesn't matter, never mind

课　文　09

Text

1

你 好!
Nǐ hǎo!

早上　好!
Zǎoshang hǎo!

课堂活动与练习
Classroom Activities and Exercises

一、语音练习 *Pronunciation* 10

xiàwǔ	下午 afternoon	wǎnshang	晚上 evening
bú xiè	不谢 you're welcome	búyòng xiè	不用谢 you're welcome

二、大声读一读 *Read aloud*

早上 zǎoshang	下午 xiàwǔ	晚上 wǎnshang	早上好。 Zǎoshang hǎo.	下午好。 Xiàwǔ hǎo.	晚上好。 Wǎnshang hǎo.
谢谢。 Xièxie.	不客气。 Bú kèqi.	不用谢。 Búyòng xiè.	谢谢你。 Xièxie nǐ.	谢谢老师。 Xièxie lǎoshī.	爸爸，谢谢您。 Bàba, xièxie nín.
	对不起。 Duìbuqǐ.			没关系。 Méi guānxi.	

三、替换词语说句子 *Substitution drills*

1. A：老师， 早上 好！
   Lǎoshī, zǎoshang hǎo!

   B：你 好。
   Nǐ hǎo.

下午	晚上
xiàwǔ	wǎnshang

2. A：谢谢！
   Xièxie!

   B：不客气。
   Bú kèqi.

不谢	不用谢
bú xiè	búyòng xiè

四、小组活动 *Group work*

写出时间，请对方迅速用合适的问候语问候。

Write out the time and ask your partner to greet accordingly.

如 e.g. 8:00 am → 早上好。

挑战自我
Challenge Yourself

交际任务 *Communication task*

对十个中国人说"早上好"，听听他们怎么回答。

Say "good morning" in Chinese to 10 Chinese people and listen to what they'll say to you.

问候 To greet	回答 Answer
早上好！ Zǎoshang hǎo!	

早上好!
Zǎoshang hǎo!

这些话，我能脱口而出

3

今天星期一
Today is Monday

跟我学拼音 11 🔘
Follow Me to *Pinyin*

■ "一" 的变调 *Tone sandhi of "一"*

	xiē 些	yìxiē 一些
yī 一	yuán 元	yì yuán 一元
	běn 本	yì běn 一本
	jiàn 件	yí jiàn 一件

跟我一起练 12 🔘
Learning by Practice

1 拼合练习 *Spell and read*

nà	bēi	zhēn	mǐ	liàng	xīn	gōng	gài
qiě	wēng	nèi	dōu	miù	miàn	zú	tuō
rù	luò	chū	tǎng	mǒu	ēn	sǎo	shài
rén	shè	zé	fǎ	yè	lüè	qū	quán

2 熟读四声 *Practice tones*

xiā	xiá		xià	
wū	wú	wǔ	wù	xiàwǔ (afternoon)
wān	wán	wǎn	wàn	
shāng		shǎng	shàng	wǎnshang (evening, night)
bū	bú	bǔ	bù	
xiē	xié	xiě	xiè	bú xiè (you're welcome)
yōng	yóng	yǒng	yòng	búyòng xiè (you're welcome)
jīn		jǐn	jìn	
tiān	tián	tiǎn	tiàn	jīntiān (today)
	míng	mǐng	mìng	míngtiān (tomorrow)
xīng	xíng	xǐng	xìng	
qī	qí	qǐ	qì	
			rì	xīngqīrì (Sunday)
jiū		jiǔ	jiù	
yuē		yuě	yuè	jiǔyuè (September)
bā	bá	bǎ	bà	
hāo	háo	hǎo	hào	bā hào [the eighth (of a month)]

3 "一" 的变调 *Practice tone sandhi of "一"*

yì tiān	yì nián	yì diǎn	yí kuài
yìxiē	yìzhí	yìqǐ	yígòng

4 辨音辨调 *Read and distinguish*

kuài — kài	jīn — qīn	háng — huáng	zhè — zhèr
tuī — duī	fàn — fàng	rào — ròu	zì — cì
tīng — tíng	xiū — xiù	qiǎng — qiāng	yún — yùn

dà — dǎ	zào — záo	mà — mā	qǐ — qí
cǎo — zǒu	quán — jiàn	gāng — xíng	jūn — jìn
zhāng — cháng	sǔn — zěn	ruì — rùn	liáng — làng

5　熟读音节　*Read and repeat*

jiā	shuǐ	shàng	xià	cài	qián	rén	shū
shāngdiàn		xuéxiào		yīyuàn		fànguǎn	
xiànzài		shuǐguǒ		shíhou		yīfu	
huǒchēzhàn		chūzūchē		kàn yīshēng		hěn gāoxìng	

课文部分
Text Part

跟我读，学生词　13

New Words

1.	今天	jīntiān	*n.*	today
2.	星期一	xīngqīyī	*n.*	Monday
3.	明天	míngtiān	*n.*	tomorrow
4.	星期二	xīngqī'èr	*n.*	Tuesday
5.	九	jiǔ	*num.*	nine
6.	月	yuè	*n.*	month
7.	八	bā	*num.*	eight
8.	日 / 号	rì / hào	*n.*	date
9.	星期六	xīngqīliù	*n.*	Saturday
10.	星期日	xīngqīrì	*n.*	Sunday

课 文 `14`

Text

① 今天 星期一，明天 星期二。
Jīntiān xīngqīyī, míngtiān xīngqī'èr.

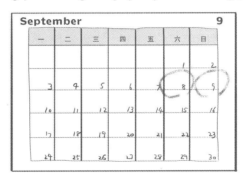

② 今天 九月 八号，星期六。明天 九月 九号，星期日。
Jīntiān jiǔyuè bā hào, xīngqīliù. Míngtiān jiǔyuè jiǔ hào, xīngqīrì.

课堂活动与练习
Classroom Activities and Exercises

一、语音练习 *Pronunciation* `15`

yī	èr	sān	sì	wǔ	liù	qī	bā	jiǔ	shí
一	二	三	四	五	六	七	八	九	十
1	2	3	4	5	6	7	8	9	10
shíyī	shí'èr	......	èrshí	èrshíyī	......				
十一	十二	......	二十	二十一	......				
11	12	......	20	21	......				

yīyuè	èryuè	sānyuè	sìyuè	wǔyuè	liùyuè
qīyuè	bāyuè	jiǔyuè	shíyuè	shíyīyuè	shí'èryuè
xīngqīyī	xīngqī'èr	xīngqīsān	xīngqīsì	xīngqīwǔ	xīngqīliù	xīngqītiān

二、大声读一读 *Read aloud*

十 shí	十一 shíyī	十二 shí'èr	二十 èrshí	二十一 èrshíyī	二十二 èrshí'èr
一月 yīyuè	四月 sìyuè	七月 qīyuè	十月 shíyuè	十一月 shíyīyuè	十二月 shí'èryuè
星期二 xīngqī'èr	星期三 xīngqīsān	星期四 xīngqīsì	星期五 xīngqīwǔ	星期六 xīngqīliù	星期日 xīngqīrì
二月 èryuè	二月十号 èryuè shí hào	二月十号， 星期四。 Èryuè shí hào, xīngqīsì.	六月 liùyuè	六月九号 liùyuè jiǔ hào	六月九号， 星期六。 Liùyuè jiǔ hào, xīngqīliù.
八月 bāyuè	八月三十号 bāyuè sānshí hào	八月三十号， 星期一。 Bāyuè sānshí hào, xīngqīyī.	三月 sānyuè	三月七号 sānyuè qī hào	三月七号， 星期天。 Sānyuè qī hào, xīngqītiān.

三、小组活动 *Group work*

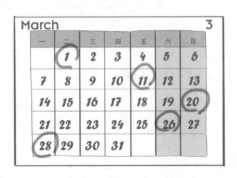
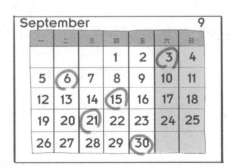

任务一：一个人先说圈出的日子"今天……月……号，星期……"，另一个人则说"明天……月……号，星期……"。

Task 1: One student describes the circled date as "Jīntiān……yuè……hào, xīngqī……" and then the other says "Míngtiān……yuè……hào, xīngqī……".

任务二：一个人说出一个日子，另一个人在月历上标出这个日子。

Task 2: Take turns to say a date in Chinese and ask your partner to mark it on the calendar.

挑战自我
Challenge Yourself

交际任务 *Communication task*

1. 在月历上标出今天的日子。

   Mark today on your calendar.

2. 看看你们国家的月历，它和中国的一样吗？

   Find a Chinese calendar and see if it is the same as that of your country.

这些话，我能脱口而出

任务二：一个人说出一个日子，另一个人在月历上标出这个日子。

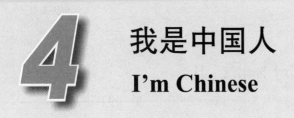

我是中国人
I'm Chinese

语音部分

Pronunciation Part

跟我学拼音 16
Follow Me to *Pinyin*

1 三声变调 *Third tone sandhi*

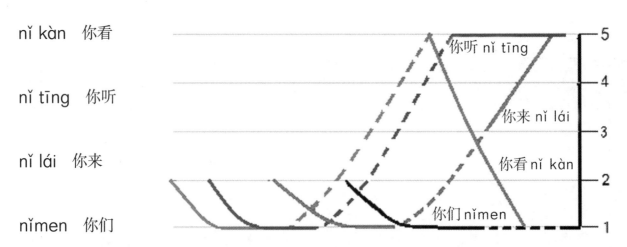

nǐ kàn 你看

nǐ tīng 你听

nǐ lái 你来

nǐmen 你们

你听 nǐ tīng

你来 nǐ lái

你看 nǐ kàn

你们 nǐmen

2 儿化韵 *Retroflex ending*

wán 玩 → wánr 玩儿
ér 儿 ↗

zhè 这 → zhèr 这儿
ér 儿 ↗

20

跟我一起练 17
Learning by Practice

1 拼合练习 *Spell and read*

tì	xū	zūn	zhěng	ruǎn	tuǐ	jiāo	lè
céng	guì	cái	suǒ	tú	míng	sù	cì
fú	lián	liǎo	suí	jí	lěng	kū	kuān
sēn	huí	fēi	tài	děng	niǎo	yào	zuì

2 熟读四声 *Practice tones*

wō		wǒ	wò	
shī	shí	shǐ	shì	
pēng	péng	pěng	pèng	
yōu	yóu	yǒu	yòu	Wǒmen shì péngyou. (We're friends.)
tā		tǎ	tà	Tā shì wǒ péngyou. (He's my friend.)
	hén	hěn	hèn	
gāo		gǎo	gào	
xīng	xíng	xǐng	xìng	hěn gāoxìng (very glad, very happy)
	rén	rěn	rèn	
shī	shí	shǐ	shì	Rènshi nǐ hěn gāoxìng. (Nice to meet you.)
yē	yé	yě	yè	Wǒ yě hěn gāoxìng. (I'm glad, too.)

3 三声变调 *Practice third tone sandhi*

lǎoshī	Běijīng	shǒujī	hǎochī
xiǎoxué	nǚrén	xiǎoshí	lǚyóu
mǐfàn	kǎoshì	pǎobù	zhǔnbèi
zǎoshang	wǒmen	jiějie	xǐhuan

4　儿化韵　*Practice retroflex ending*

zhèr (here)　　　　　nàr (there)　　　　　năr (where)

wánr (play, have fun)　　　　　yíhuìr (a little while)

5　辨音辨调　*Read and distinguish*

céng — cén	liă — liăn	pōu — pāo	dīng — tīng
zŏu — zuŏ	yăo — jiăo	tiē — tè	xióng — nóng
tiān — tiăn	xī — xì	jí — jī	jìng — jīng
rè — ré	qián — qiān	mó — mō	áng — àng
liáo — lăo	zhăn — zhèn	pán — bēn	chŏu — shòu
gěi — gēn	măi — bài	sēn — chūn	shéi — shuì

6　熟读音节　*Read and repeat*

zì	ài	xiăng	huì	néng	dà	xiăo	suì

xuéxiào　　　　　píngguŏ　　　　　fēijī　　　　　diànshì

tiānqì　　　　　diànnăo　　　　　míngzi　　　　　bēizi

zhēn piàoliang　　　　　zěnmeyàng　　　　　tài lěng le　　　　　wŏmen zhèr

课文部分

Text Part

跟我读，学生词（一）　18

New Words I

1.　我　　　　　wŏ　　　　　*pron.*　　　　　I, me

2.　是　　　　　shì　　　　　*v.*　　　　　be

3.	人	rén	*n.*	person, people
4.	姓	xìng	*v.*	be surnamed
5.	叫	jiào	*v.*	call

专有名词　Proper Noun

中国　　　　　　Zhōngguó　　　　　　China

课文（一）　19

Text I

李雪：我 是 中国 人，我 姓李，我 叫李雪。
Lǐ Xuě: Wǒ shì Zhōngguó rén，wǒ xìng Lǐ，wǒ jiào Lǐ Xuě.

边学边练　*Practice to learn*

1. Lǐ Xuě＿＿＿＿＿＿Zhōngguó rén.

2. Lǐ Xuě ＿＿＿＿＿＿Lǐ.

跟我读，学生词（二）　20

New Words II

1.	他	tā	*pron.*	he, him
2.	我们	wǒmen	*pron.*	we, us
3.	朋友	péngyou	*n.*	friend

专有名词　Proper Noun

英国　　　　　　Yīngguó　　　　　　the United Kingdom

课文（二） 21

Text II

友美：他是 英国 人，他叫 马丁，我们 是
Yǒuměi: Tā shì Yīngguó rén， tā jiào Mǎdīng， wǒmen shì

朋友。
péngyou.

边学边练 *Practice to learn*

1. Tā _____ Mǎdīng.

2. Mǎdīng shì _____ rén.

3. Yǒuměi hé Mǎdīng shì _____.

跟我读，学生词（三） 22

New Words III

1.	认识	rènshi	*v.*	know
2.	很	hěn	*adv.*	very
3.	高兴	gāoxìng	*adj.*	glad, happy
4.	也	yě	*adv.*	also, too

专有名词 Proper Noun

韩国	Hánguó		South Korea

课文（三） 23

Text III

朴大中：我 姓 朴，我 叫 朴 大中，我 是
Piáo Dàzhōng: Wǒ xìng Piáo， wǒ jiào Piáo Dàzhōng， wǒ shì

韩国 人。
Hánguó rén.

李雪： 我 是 中国 人，我 叫李雪。认识 你 很 高兴。
Lǐ Xuě: Wǒ shì Zhōngguó rén, wǒ jiào Lǐ Xuě. Rènshi nǐ hěn gāoxìng.

朴大中： 我 也 很 高兴。
Piáo Dàzhōng: Wǒ yě hěn gāoxìng.

边学边练 *Practice to learn*

1. Piáo Dàzhōng shì Hánguó_____ .

2. Lǐ Xuě shì _____ rén.

3. Lǐ Xuě _____ Piáo Dàzhōng hěn gāoxìng.

4. Piáo Dàzhōng rènshi Lǐ Xuě _____ hěn gāoxìng.

功能句
Functional Sentences

【介绍】 **Introduction**

1. 我 姓……。
   Wǒ xìng……

2. 我 叫……。
   Wǒ jiào……

3. 他是 中国 人。
   Tā shì Zhōngguó rén.

4. 我们 是 朋友。
   Wǒmen shì péngyou.

【相识】 **Getting to know someone**

1. 认识 你 很 高兴。
   Rènshi nǐ hěn gāoxìng.

2. 我也很 高兴。
   Wǒ yě hěn gāoxìng.

课堂活动与练习
Classroom Activities and Exercises

一、语音练习　*Pronunciation*　

tóngxué　同学 classmate	Měiguó　美国 the United States	Jiānádà　加拿大 Canada
Rìběn　日本 Japan	Bāxī　巴西 Brazil	Yìdàlì　意大利 Italy

二、大声读一读　*Read aloud*

我姓李。 Wǒ xìng Lǐ.	他姓沈。 Tā xìng Shěn.	我姓王。 Wǒ xìng Wáng.	他也姓王。 Tā yě xìng Wáng.
我叫李雪。 Wǒ jiào Lǐ Xuě.	他叫马丁。 Tā jiào Mǎdīng.	我姓朴，叫朴大中。 Wǒ xìng Piáo, jiào Piáo Dàzhōng.	
我是美国人。 Wǒ shì Měiguó rén.	他是加拿大人。 Tā shì Jiānádà rén.	我们是意大利人。 Wǒmen shì Yìdàlì rén.	他们是巴西人。 Tāmen shì Bāxī rén.
我是日本人，他也是日本人。 Wǒ shì Rìběn rén, tā yě shì Rìběn rén.		我是加拿大人，他们也是加拿大人。 Wǒ shì Jiānádà rén, tāmen yě shì Jiānádà rén.	
他是我朋友。 Tā shì wǒ péngyou.	我是他朋友。 Wǒ shì tā péngyou.	李雪是我朋友。 Lǐ Xuě shì wǒ péngyou.	我们是好朋友。 Wǒmen shì hǎo péngyou.
我们是朋友，也是同学。 Wǒmen shì péngyou, yě shì tóngxué.		他是我同学，也是我朋友。 Tā shì wǒ tóngxué, yě shì wǒ péngyou.	
认识你很高兴。 Rènshi nǐ hěn gāoxìng.		很高兴认识你。 Hěn gāoxìng rènshi nǐ.	
认识你，我也很高兴。 Rènshi nǐ, wǒ yě hěn gāoxìng.		我们很高兴认识你。 Wǒmen hěn gāoxìng rènshi nǐ.	

三、替换词语说句子 *Substitution drills*

1. A：我 是 中国 人，我 叫 李雪。
   　　Wǒ shì Zhōngguó rén, wǒ jiào Lǐ Xuě.

   B：我是 韩国 人，我 叫 朴 大中。
   　　Wǒ shì Hánguó rén, wǒ jiào Piáo Dàzhōng.

   A：认识 你 很 高兴。
   　　Rènshi nǐ hěn gāoxìng.

   B：我 也 很 高兴。
   　　Wǒ yě hěn gāoxìng.

英国 Yīngguó	马丁 Mǎdīng
美国 Měiguó	......
加拿大 Jiānádà	......
日本 Rìběn	......
巴西 Bāxī	......
意大利 Yìdàlì	......

2. A：我 叫 李雪，他 是 我 朋友。
   　　Wǒ jiào Lǐ Xuě, tā shì wǒ péngyou.

   B：认识 你 很 高兴。
   　　Rènshi nǐ hěn gāoxìng.

   A：认识 你，我 也 很 高兴。
   　　Rènshi nǐ, wǒ yě hěn gāoxìng.

朴大中 Piáo Dàzhōng	同学 tóngxué
......	爸爸 bàba
......	朋友 péngyou
......	老师 lǎoshī

3. A：我 是 中国 人。
   　　Wǒ shì Zhōngguó rén.

   B：我 是 英国 人。
   　　Wǒ shì Yīngguó rén.

   A：很 高兴 认识 你。
   　　Hěn gāoxìng rènshi nǐ.

   B：我 也 很 高兴。
   　　Wǒ yě hěn gāoxìng.

韩国 Hánguó	意大利 Yìdàlì
巴西 Bāxī	日本 Rìběn
加拿大 Jiānádà	中国 Zhōngguó
英国 Yīngguó	美国 Měiguó

四、小组活动　*Group work*

拿一张朋友或家人的照片，给同学们介绍照片上的人。包括：

（1）他是哪国人？

（2）他叫什么名字？

（3）他和你是什么关系？

Show us a picture of your family members or your friends and tell us about them, including their nationalities, names and their relationships with you.

挑战自我
Challenge Yourself

交际任务　*Communication task*

分别对十二个同学或者老师介绍你自己，并用拼音记下他们的回答。

Introduce yourself to 12 classmates or teachers and try to write down their responses in *pinyin*.

我姓＿＿＿＿，我叫＿＿＿＿。 Wǒ xìng＿＿＿＿, wǒ jiào＿＿＿＿.	
我是＿＿＿＿人，我叫＿＿＿＿。 Wǒ shì＿＿＿＿rén, wǒ jiào＿＿＿＿.	
我是＿＿＿＿人，我叫＿＿＿＿。认识你很高兴。 Wǒ shì＿＿＿＿rén, wǒ jiào＿＿＿＿. Rènshi nǐ hěn gāoxìng.	

这些话，我能脱口而出

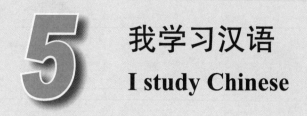

我学习汉语
I study Chinese

语音部分
Pronunciation Part

跟我学拼音 25
Follow Me to *Pinyin*

■ 三声变调 *Third tone sandhi*

我很好。　Wǒ hěn hǎo. ⟶ Wó hén hǎo.

跟我一起练 26
Learning by Practice

1 三声变调 *Practice third tone sandhi*

yě hěn hǎo	nǐ děng wǒ	wǒ yě zǒu	mǎi wǎngkǎ
yǒudiǎnr yuǎn	yǒu xiǎoyǔ	wǒ yǒu shuǐ	nǐ yě hěn zǎo

2 辨音辨调 *Read and distinguish*

míngzi — mínzú	diànchí — diànqì	fēnxī — fēnqī	gōngrén — gōngrèn
hǎoxīn — hǎoxiē	jí zǎo — qǐ zǎo	jīngyàn — jīngxiǎn	lùfèi — lǚfèi

3 熟读音节 *Read and repeat*

kàn diànyǐng	qù xuéxiào	shàng shāngdiàn	lái Běijīng
zài qiánmian	zài hòumian	zhǎo lǎoshī	hǎo péngyou
mǎi yīfu	chī shuǐguǒ	xué Hànyǔ	xiě Hànzì

课文部分
Text Part

27 跟我读，学生词（一）

New Words I

1.	什么	shénme	*pron.*	what
2.	名字	míngzi	*n.*	name
3.	哪	nǎ	*pron.*	which
4.	国	guó	*n.*	country

课　文（一）　28

Text I

（Tomomi meets Martin for the first time.）

友美：　你 叫 什么 名字？
Yǒuměi：　Nǐ jiào shénme míngzi?

马丁：　我 叫 马丁。
Mǎdīng：　Wǒ jiào Mǎdīng.

友美：　你 是 哪 国 人？
Yǒuměi：　Nǐ shì nǎ guó rén?

马丁：　我 是 英国 人。
Mǎdīng：　Wǒ shì Yīngguó rén.

边学边练 *Practice to learn*

A：Mǎdīng,＿＿＿＿＿＿ shì nǎ guó rén?

B：＿＿＿＿＿＿ shì Yīngguó rén.

跟我读，学生词（二）　`29`

New Words II

1. 谁	shéi (shuí)	*pron.*	who, whom
2. 吗	ma	*part.*	used at the end of a question
3. 不	bù	*adv.*	not, no

专有名词　Proper Noun

德国	Déguó	Germany

课文（二）　`30`

Text II

（ They are talking about Martin's teacher.)

友美：他是 谁？
Yǒuměi: Tā shì shéi?

马丁：他是 我们 老师。
Mǎdīng: Tā shì wǒmen lǎoshī.

友美：他也是 英国 人 吗？
Yǒuměi: Tā yě shì Yīngguó rén ma?

马丁：他不是 英国 人，他是 德国 人。
Mǎdīng: Tā bú shì Yīngguó rén, tā shì Déguó rén.

边学边练　*Practice to learn*

Yǒuměi: Nǐmen lǎoshī yě shì Yīngguó rén _____?

Mǎdīng: _____ Yīngguó rén.

跟我读，学生词（三）　`31`

New Words III

1. 呢	ne	*part.*	used at the end of an interrogative sentence

2.	学习	xuéxí	*v.*	study
3.	汉语	Hànyǔ	*n.*	Chinese (language)
4.	经济	jīngjì	*n.*	economy
5.	她	tā	*pron.*	she, her

课文（三） 32

Text III

（ Hannah is watching Li Xue playing pingpong. Martin comes up to her. ）

马丁：你好，我 叫 马丁，我 是 英国 人。你 呢？
Mǎdīng: Nǐ hǎo, wǒ jiào Mǎdīng, wǒ shì Yīngguó rén. Nǐ ne?

汉娜：我 叫 汉娜，我 也 是 英国 人。我 学习汉语，你 呢？
Hànnà: Wǒ jiào Hànnà, wǒ yě shì Yīngguó rén. Wǒ xuéxí Hànyǔ, nǐ ne?

马丁：我 学习 经济，也 学习汉语。她 是 谁？
Mǎdīng: Wǒ xuéxí jīngjì, yě xuéxí Hànyǔ. Tā shì shéi?

汉娜：她是李雪，是我 朋友。
Hànnà: Tā shì Lǐ Xuě, shì wǒ péngyou.

马丁：她是日本人 吗？
Mǎdīng: Tā shì Rìběn rén ma?

汉娜：她不是日本人，她是 中国 人。
Hànnà: Tā bú shì Rìběn rén, tā shì Zhōngguó rén.

边学边练 *Practice to learn*

Mǎdīng: Wǒ jiào Mǎdīng, shì Yīngguó rén. _____?

Hànnà: Wǒ _____ shì Yīngguó rén, wǒ _____ Hànnà. Wǒ _____ Hànyǔ,

  nǐ ne?

Mǎdīng: Wǒ _____ xuéxí Hànyǔ. Tā shì _____?

Hànnà: Tā shì wǒ péngyou, _____ Lǐ Xuě.

Mǎdīng: Tā shì _____ rén?

Hànnà: _____ shì Zhōngguó rén.

功能句
Functional Sentences

【询问】 **Inquiry**

1. 你叫 什么 名字？
   Nǐ jiào shénme míngzi?

2. 你是哪国 人？
   Nǐ shì nǎ guó rén?

3. 他是 谁？
   Tā shì shéi?

4. 他也是……人 吗？
   Tā yě shì …… rén ma?

课堂活动与练习
Classroom Activities and Exercises

一、语音练习　*Pronunciation*　　33

Fǎguó　法国 France	xuésheng　学生 student	yīshēng　医生 doctor
fǎlǜ　法律 law	zhōngyī　中医 traditional Chinese medicine	

二、大声读一读　*Read aloud*

你是哪国人？ Nǐ shì nǎ guó rén?	我是巴西人。 Wǒ shì Bāxī rén.	我不是德国人，我是法国人。 Wǒ bú shì Déguó rén, wǒ shì Fǎguó rén.
我叫汉娜，我是英国人，我是学生。 Wǒ jiào Hànnà, wǒ shì Yīngguó rén, wǒ shì xuésheng.	他是谁？ Tā shì shéi?	他是我们老师。 Tā shì wǒmen lǎoshī.
我们汉语老师也是中国人。 Wǒmen Hànyǔ lǎoshī yě shì Zhōngguó rén.	我们老师姓李，他不是中国人。 Wǒmen lǎoshī xìng Lǐ, tā bú shì Zhōngguó rén.	

你朋友也是学生吗？ Nǐ péngyou yě shì xuésheng ma?	我朋友不是学生，他是医生。 Wǒ péngyou bú shì xuésheng, tā shì yīshēng.		
你学习什么？ Nǐ xuéxí shénme?	我学习中医。 Wǒ xuéxí zhōngyī.	我学习法律。 Wǒ xuéxí fǎlù.	我学习经济。 Wǒ xuéxí jīngjì.

我叫马丁，我是英国人，我不学习中医，我学习经济，也学习汉语。他是我朋友。
Wǒ jiào Mǎdīng, wǒ shì Yīngguó rén, wǒ bù xuéxí zhōngyī, wǒ xuéxí jīngjì, yě xuéxí Hànyǔ. Tā shì wǒ péngyou.

她姓李，叫李雪。她是中国人，也是我朋友。她是学生，她学习法律。
Tā xìng Lǐ, jiào Lǐ Xuě. Tā shì Zhōngguó rén, yě shì wǒ péngyou. Tā shì xuésheng, tā xuéxí fǎlù.

三、替换词语说句子 *Substitution drills*

1. A: 你是哪国人？
    Nǐ shì nǎ guó rén?

   B: 我是 <u>德国</u> 人。
    Wǒ shì Déguó rén.

   A: 他是谁？
    Tā shì shéi?

   B: 他是 <u>我们 同学</u>。
    Tā shì wǒmen tóngxué.

法国 Fǎguó	我们老师 wǒmen lǎoshī
美国 Měiguó	我朋友 wǒ péngyou
巴西 Bāxī	我妈妈 wǒ māma
日本 Rìběn	我爸爸 wǒ bàba

2. A: 他是谁？
    Tā shì shéi?

   B: 他是 我 朋友。
    Tā shì wǒ péngyou.

   A: 他也是 <u>德国 人</u> 吗？
    Tā yě shì Déguó rén ma?

   B: 他不是 <u>德国 人</u>，他是 <u>法国 人</u>。
    Tā bú shì Déguó rén, tā shì Fǎguó rén.

日本人 Rìběn rén	韩国人 Hánguó rén
加拿大人 Jiānádà rén	意大利人 Yìdàlì rén
学生 xuésheng	老师 lǎoshī
老师 lǎoshī	医生 yīshēng

3. A：你学习 什么？
　　　Nǐ xuéxí shénme?

　　B：我 学习 汉语。
　　　Wǒ xuéxí Hànyǔ.

　　A：他呢？
　　　Tā ne?

　　B：他也学习 汉语。
　　　Tā yě xuéxí Hànyǔ.

经济
jīngjì
法律
fǎlǜ
中医
zhōngyī

四、小组活动　*Group work*

看图说一说　Look at the pictures and talk about them.

参考表中的职业，介绍图片中的人物。

Look at the people in the picture and try to say a few words about their nationalities and occupations. Some words of occupation are provided in the table.

医生 doctor yīshēng	老板 boss lǎobǎn	店员 salesclerk diànyuán	演员 actor, actress yǎnyuán
秘书 secretary mìshū	司机 driver sījī	律师 lawyer lǜshī	技工 mechanic jìgōng
运动员 athlete yùndòngyuán	厨师 chef chúshī	工人 worker gōngrén	服务员 waiter, waitress fúwùyuán

五、表达　*Presentation*

简单介绍自己的家庭。

Say a few sentences about your family with the given words and sentence patterns.

参考词语和句式

我是…… 　　我学习…… 　　我妈妈是…… 　　我爸爸 是……
wǒ shì…… 　　wǒ xuéxí…… 　　wǒ māma shì…… 　　wǒ bàba shì……

挑战自我
Challenge Yourself

交际任务　*Communication task*

拍一张你们班同学和老师的集体照片，向中国朋友介绍你的同学和老师。

Take a picture of your class and tell your Chinese friend about your classmates and teachers.

这些话，我能脱口而出

6 你们班有多少人

How many people are there in your class

跟我读，学生词（一）

New Words I

1.	这	zhè	*pron.*	this
2.	家	jiā	*n.*	home, family
3.	和	hé	*conj.*	and
4.	哥哥	gēge	*n.*	elder brother
5.	没（有）	méi (yǒu)	*v.*	do not have, there is no
6.	有	yǒu	*v.*	have, there be
7.	姐姐	jiějie	*n.*	elder sister
8.	妹妹	mèimei	*n.*	younger sister
9.	口	kǒu	*m.*	*for family members*
10.	对	duì	*adj.*	right, correct

课文（一）

Text I

（Tomomi is telling Jimmy about her family.）

友美：这 是 我家。这 是 我 爸爸、妈妈 和 哥哥。
Yǒuměi：Zhè shì wǒ jiā. Zhè shì wǒ bàba、 māma hé gēge.

吉米：我 没有 哥哥，我 有 姐姐 和 妹妹。
Jímǐ：Wǒ méiyǒu gēge， wǒ yǒu jiějie hé mèimei.

友美：你家有五口人？
Yǒuměi：Nǐ jiā yǒu wǔ kǒu rén?

吉米：对。我 妹妹 也是 学生，她 也 学习 汉语。
Jímǐ：Duì. Wǒ mèimei yě shì xuésheng, tā yě xuéxí Hànyǔ.

友美： 你 姐姐 呢?
Yǒuměi: Nǐ jiějie ne?

吉米： 我 姐姐 是 医生。
Jímǐ: Wǒ jiějie shì yīshēng.

边学边练 *Practice to learn*

1. Yǒuměi jiā yǒu _____.

2. Jímǐ _____ gēge, tā _____ jiějie _____ mèimei.

3. Jímǐ jiā yǒu _____.

4. Jímǐ de jiějie shì _____.

跟我读，学生词（二） 36

New Words II

1.	班	bān	*n.*	class
2.	个	gè	*m.*	*used before a noun which does not have a fixed measure word of its own*
3.	多少	duōshao	*pron.*	how much, how many
4.	女生	nǚshēng	*n.*	schoolgirl, girl
5.	男生	nánshēng	*n.*	schoolboy, boy
6.	几	jǐ	*pron.*	how many
7.	还	hái	*adv.*	also, still

专有名词 **Proper Noun**

俄罗斯	Éluósī		Russia

课文（二）　37

Text II

（ Jimmy and Hannah are talking about their classes. ）

吉米：我 叫 吉米， 我 是 俄罗斯 人。这 是 我们 班。我们 班 有 15 个
Jímǐ: Wǒ jiào Jímǐ,　wǒ shì　Éluósī rén. Zhè shì wǒmen bān. Wǒmen bān yǒu shíwǔ ge

　　　人，你们 班 有 多少 人？
　　　rén, nǐmen bān yǒu duōshao rén?

汉娜：我们 班 也 有 15 个 人。8 个 女生，7 个 男生。 你们 班 有 几 个
Hànnà: Wǒmen bān yě yǒu shíwǔ ge rén. Bā ge nǚshēng, qī ge nánshēng. Nǐmen bān yǒu jǐ ge

　　　女生？
　　　nǚshēng?

吉米：我们 班 有 6 个 女生， 还 有 9 个 男生。
Jímǐ: Wǒmen bān yǒu liù ge nǚshēng,　hái yǒu jiǔ ge nánshēng.

边学边练　*Practice to learn*

1. Jímǐ shì _____.

2. Jímǐ: Wǒmen _____ yǒu shíwǔ _____ rén.

3. Jímǐ: Wǒmen bān _____ nǚshēng, jiǔ ge _____.

4. Hànnà: _____ yǒu bā ge nǚshēng, _____ qī ge nánshēng.

功能句
Functional Sentences

【询问】 **Inquiry**

1. 你们 班 有 多少 人？
　Nǐmen bān yǒu duōshao rén?

2. 你们 班 有 几 个 女生？
　Nǐmen bān yǒu jǐ ge nǚshēng?

【介绍】 **Introduction**

1. 这 是 我 爸爸、妈妈。
   Zhè shì wǒ bàba、 māma.

2. 我 没有 哥哥，我 有 姐姐 和 妹妹。
   Wǒ méiyǒu gēge, wǒ yǒu jiějie hé mèimei.

3. 我 姐姐 是 医生。
   Wǒ jiějie shì yīshēng.

课堂活动与练习
Classroom Activities and Exercises

一、辨音辨调 *Read and distinguish* 38

nǎiniú — nǎiyóu qíshí — jíshí   wánjù — wàngjì xiāngguān — xiānggān

dàxué — dà xié zuótiān — zūnyán huār — huàr   dǐzhì — tǐzhì

二、语音练习 *Pronunciation* 39

dàxué 大学 university		zhōngxué 中学 secondary school	
liǎng 两 two		dìdi 弟弟 younger brother	

ài xuéxí	néng kāichē	tiān tài lěng	tiān tài rè
wǒ hé tā	tā hé nǐ	dōu lái le	dōu méi lái
néng qù ma	zuò fēijī	diànnǎo zhuō	nǚ tóngxué

三、大声读一读 **Read aloud**

这是什么？ Zhè shì shénme?	这是我家。 Zhè shì wǒ jiā.	这是中国。 Zhè shì Zhōngguó.
这是友美。 Zhè shì Yǒuměi.	这是我朋友。 Zhè shì wǒ péngyou.	这是王老师。 Zhè shì Wáng lǎoshī.
爸爸和妈妈 bàba hé māma	姐姐和妹妹 jiějie hé mèimei	我和我朋友 wǒ hé wǒ péngyou

韩国和日本 Hánguó hé Rìběn	德国人和法国人 Déguó rén hé Fǎguó rén	星期六和星期日 xīngqīliù hé xīngqīrì
有中国朋友 yǒu Zhōngguó péngyou	有哥哥，没有妹妹 yǒu gēge, méiyǒu mèimei	没有 2 月 30 号 méiyǒu èr yuè sānshí hào
15 个人 shíwǔ ge rén	8 个男生 bā ge nánshēng	还有 3 个班 hái yǒu sān ge bān
几个班 jǐ ge bān	几个人 jǐ ge rén	几个老师 jǐ ge lǎoshī
我们班 wǒmen bān	你们班 nǐmen bān	他们班 tāmen bān
一班和二班 yī bān hé èr bān	这个班 zhège bān	三个班 sān ge bān
多少人 duōshao rén	多少个班 duōshao ge bān	多少个女生 duōshao ge nǚshēng
多少个同学 duōshao ge tóngxué	多少个韩国人 duōshao ge Hánguó rén	多少个中国朋友 duōshao ge Zhōngguó péngyou

四、替换词语说句子　*Substitution drills*

1. 这 是 <u>我家</u>。
   Zhè shì <u>wǒ jiā</u>.

张老师家 Zhāng lǎoshī jiā	大学 dàxué
中国 Zhōngguó	英国 Yīngguó

2. A：这 是 谁？
   Zhè shì shéi?

   B：这 是 <u>我爸爸</u>，他是 <u>大学老师</u>。
   Zhè shì <u>wǒ bàba</u>, tā shì <u>dàxué lǎoshī</u>.

他哥哥 tā gēge	中学老师 zhōngxué lǎoshī
我弟弟 wǒ dìdi	学生 xuésheng
我朋友 wǒ péngyou	医生 yīshēng

3. 我 有 一个哥哥， 我 没有 姐姐。
　　Wǒ yǒu yí ge gēge，　wǒ méiyǒu jiějie.

两	姐姐	妹妹
liǎng	jiějie	mèimei
一	妹妹	弟弟
yī	mèimei	dìdi
三	韩国同学	美国同学
sān	Hánguó tóngxué	Měiguó tóngxué

4. A： 你们 班 有 多少 人？
　　　Nǐmen bān yǒu duōshao rén?

　　B： 我们 班 有 17 个人。
　　　Wǒmen bān yǒu shíqī ge rén.

他们班	他们班	21
tāmen bān	tāmen bān	èrshíyī
我们班	我们班	19
wǒmen bān	wǒmen bān	shíjiǔ

5. A： 你有 多少 个 同学？
　　　Nǐ yǒu duōshao ge tóngxué?

　　B： 我 有 16 个 同学。
　　　Wǒ yǒu shíliù ge tóngxué.

你们	中国朋友	我们	20个中国朋友
nǐmen	Zhōngguó péngyou	wǒmen	èrshí ge Zhōngguó péngyou
我们	星期日	我们	52个星期日
wǒmen	xīngqīrì	wǒmen	wǔshí'èr ge xīngqīrì

6. A： 你们 班 有 几个 女生？
　　　Nǐmen bān yǒu jǐ ge nǚshēng?

　　B： 我们 班 有 八个 女生。
　　　Wǒmen bān yǒu bā ge nǚshēng.

他	妹妹	他	两个妹妹
tā	mèimei	tā	liǎng ge mèimei
我们班	男生	我们班	十个男生
wǒmen bān	nánshēng	wǒmen bān	shí ge nánshēng
你们	老师	我们	三个老师
nǐmen	lǎoshī	wǒmen	sān ge lǎoshī

五、练一练：完成对话　*Complete the following dialogues*

1. A：＿＿＿＿＿＿＿＿＿＿？

   B：我们　班 有六个 女生，四个 男生。

   Wǒmen bān yǒu liù ge nǚshēng，sì ge nánshēng.

2. A：＿＿＿＿＿＿＿＿＿＿？

   B：他们　班 有 21　个人。

   Tāmen bān yǒu èrshíyī ge rén.

3. A：＿＿＿＿＿＿＿＿＿＿？

   B：我们　有四个老师。

   Wǒmen yǒu sì ge lǎoshī.

4. A：你家 有几口 人？

   Nǐ jiā yǒu jǐ kǒu rén?

   B：＿＿＿＿＿＿＿＿＿＿。

六、小组活动　*Group work*

1. 看图说一说　Look at the picture and talk about this class.

2. 填图说一说　Fill in the blanks and talk about the picture.

姓名　name：_____

国籍　nationality：_____

工作　profession / 学习　major：_____

七、复习与表达　*Review and presentation*

1. 双人练习：回答问题　Pair work: Ask and answer the following questions.

（1）他们　班　有　几个　学生？

Tāmen bān yǒu jǐ ge xuésheng?

（2）你们　班　有　多少　人？

Nǐmen bān yǒu duōshao rén?

（3）他们　班　有　几个　女生？

Tāmen bān yǒu jǐ ge nǚshēng?

（4）我们　班　有　几个　男生？

Wǒmen bān yǒu jǐ ge nánshēng?

（5）你家　有　几口　人？

Nǐ jiā yǒu jǐ kǒu rén?

（6）你有　哥哥、弟弟吗？

Nǐ yǒu gēge、　dìdi ma?

（7）你有　几个　中国　老师？

Nǐ yǒu jǐ ge Zhōngguó lǎoshī?

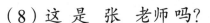

（8）这 是 张 老师吗？
Zhè shì Zhāng lǎoshī ma?

2. 课堂展示：语段表达　Presentation

说一说你和你们班。

Say a few sentences about yourself and your class with the given words and sentence patterns.

> **参考词语和句式**
>
> | 我叫…… | 我是……（国）人 | 这是…… | 他是…… | 我家…… |
> |---|---|---|---|---|
> | wǒ jiào…… | wǒ shì……(guó) rén | zhè shì…… | tā shì…… | wǒ jiā…… |
>
> | 我有…… | 我没有…… | 我们班 | 男生 | 女生 | 还 | 朋友 |
> |---|---|---|---|---|---|---|
> | wǒ yǒu…… | wǒ méiyǒu…… | wǒmen bān | nánshēng | nǚshēng | hái | péngyou |

挑战自我
Challenge Yourself

交际任务　*Communication task*

问一问你的老师或朋友，他们是哪国人，他们有多少学生或同学，并完成下表。

Ask your teachers/friends about their nationalities and the number of students/classmates they have and fill in the table.

	老师 / 朋友 lǎoshī / péngyou	……（国）人 ……(guó) rén	学生 / 同学 xuésheng / tóngxué	男生 nánshēng	女生 nǚshēng
1					
2					
3					
4					

这些话，我能脱口而出

7 一共多少钱
How much altogether

New Words I

1. 要	yào	*v.*	want, need
2. 瓶	píng	*n.*	bottle
3. 水	shuǐ	*n.*	water
4. 块（元）	kuài (yuán)	*m.*	(*unit of Chinese currency*) same as "*yuan*"
5. 面包	miànbāo	*n.*	bread
6. 钱	qián	*n.*	money
7. 再	zài	*adv.*	in addition, besides
8. 别的	biéde	*pron.*	other
9. 了	le	*part.*	a modal particle
10. 一共	yígòng	*adv.*	altogether, in total

课文（一） 41

Text I

（Hannah is buying some food in the grocery store.）

汉娜：你好，我要一瓶 水。
Hànnà: Nǐ hǎo, wǒ yào yì píng shuǐ.

售货员：一块五。
Shòuhuòyuán: Yí kuài wǔ.

汉娜：面包 多少 钱一个?
Hànnà: Miànbāo duōshao qián yí ge?

售货员：三块。
Shòuhuòyuán: Sān kuài.

汉娜： 我再要一个面包。
Hànnà: Wǒ zài yào yí ge miànbāo.

售货员： 还要别的吗？
Shòuhuòyuán: Hái yào biéde ma?

汉娜： 不要了。
Hànnà: Bú yào le.

售货员： 一共四块五。
Shòuhuòyuán: Yígòng sì kuài wǔ.

汉娜： 一共多少钱？十块五？
Hànnà: Yígòng duōshao qián? Shí kuài wǔ?

售货员： 不是十块五，是四块五。
Shòuhuòyuán: Bú shì shí kuài wǔ, shì sì kuài wǔ.

汉娜： 对不起。
Hànnà: Duìbuqǐ.

边学边练 *Practice to learn*

1. Yì píng shuǐ _____.

2. Yì ge miànbāo _____.

3. Hànnà yào _____ 、_____.

4. Yígòng _____.

跟我读，学生词（二） 〔42〕

New Words II

1.	想	xiǎng	*v.*	want to, think
2.	买	mǎi	*v.*	buy
3.	葡萄	pútao	*n.*	grape
4.	斤	jīn	*m.*	*unit of weight = 1/2 kilogram*
5.	梨	lí	*n.*	pear
6.	怎么	zěnme	*pron.*	how, why

7.	卖	mài	*v.*	sell
8.	种	zhǒng	*m.*	kind, sort
9.	太……了	tài……le		extremely, too
10.	贵	guì	*adj.*	expensive
11.	那	nà (nèi)	*pron.*	that
12.	便宜	piányi	*adj.*	cheap
13.	好吃	hǎochī	*adj.*	tasty, delicious

课文（二） 43

Text II

（Jimmy is buying fruit at a fruit stall.）

小贩： 您 要 什么？
Xiǎofàn: Nín yào shénme?

吉米： 我 想 买 葡萄。一斤 多少 钱？
Jímǐ: Wǒ xiǎng mǎi pútao. Yì jīn duōshao qián?

小贩： 四 块。
Xiǎofàn: Sì kuài.

吉米： 我 要 两 斤。
Jímǐ: Wǒ yào liǎng jīn.

小贩： 还 要 别的 吗？
Xiǎofàn: Hái yào biéde ma?

吉米： 梨 怎么 卖？
Jímǐ: Lí zěnme mài?

小贩： 这 种 一斤 六 块。
Xiǎofàn: Zhè zhǒng yì jīn liù kuài.

吉米： 太 贵 了。
Jímǐ: Tài guì le.

小贩： 那 种 便宜，两 块 五 一 斤。
Xiǎofàn: Nà zhǒng piányi, liǎng kuài wǔ yì jīn.

吉米： 好吃 吗？
Jímǐ： Hǎochī ma?

小贩： 好吃。
Xiǎofàn： Hǎochī.

吉米： 我 要 三 个。
Jímǐ： Wǒ yào sān ge.

小贩： 还 要 别的 吗？
Xiǎofàn： Hái yào biéde ma?

吉米： 不 要 了。
Jímǐ： Bú yào le.

边学边练　*Practice to learn*

1. _____ sì kuài yì jīn.

2. _____ liù kuài yì jīn, tài _____ le.

3. Nà zhǒng lí _____ , _____ .

4. Jímǐ xiǎng mǎi _____ , hái yào _____ .

功能句
Functional Sentences

【谈论需要】 Talking about needs

1. 你要 什么？
   Nǐ yào shénme?

2. 我 要一瓶 水。
   Wǒ yào yì píng shuǐ.

3. 我 想 买葡萄。
   Wǒ xiǎng mǎi pútao.

4. 还 要 别的 吗？
   Hái yào biéde ma?

5. 不要了。
   Bú yào le.

【询问价格】 **Inquiring about prices**

1. 面包 多少 钱一个？
   Miànbāo duōshao qián yí ge?

2. 葡萄 多少 钱一斤？
   Pútao duōshao qián yì jīn?

3. 梨 怎么 卖？
   Lí zěnme mài?

4. 一共 多少 钱？
   Yígòng duōshao qián?

【钱数表达】 **Expressions of amounts of money**

1. 1.00 一块
   yí kuài

2. 2.50 两 块五
   liǎng kuài wǔ

3. 3.48 三 块四毛八
   sān kuài sì máo bā

4. 17.05 十七块 零五（分）
   shíqī kuài líng wǔ （fēn）

5. 0.69 六毛九
   liù máo jiǔ

课堂活动与练习
Classroom Activities and Exercises

一、辨音辨调 ***Read and distinguish***   44

| dùzi — tùzi | dú shū — túshū | fángjiān — fàn qián | Hànzì — hézi |

hùzhào — húnào huánzhài — hànzāi huǎnhé — huǎnghuà júhóng — júhuáng

二、语音练习 *Pronunciation* 45

máo 毛 *unit of currency* =1/10 *kuai*	fēn 分 (*unit of currency*) cent
běn 本 *a measure word*	shū 书 book
zhī 支 *a measure word*	bǐ 笔 pen
běnzi 本子 notebook	píngguǒ 苹果 apple

tā yǒu shū	wǒ méiyǒu	hē kāfēi	chī zǎofàn
bù shuōhuà	méi kànjiàn	huí jiā le	tā jiào nǐ
tīng wǒ shuō	zhǎo gōngzuò	xià dàyǔ	néng qù ma

三、大声读一读 *Read aloud*

要 yào	要什么 yào shénme	要面包 yào miànbāo
还要什么 hái yào shénme	要三个面包 yào sān ge miànbāo	不要了 bú yào le
一块 yí kuài	两毛 liǎng máo	三块四（毛） sān kuài sì (máo)
六块七毛九（分） liù kuài qī máo jiǔ (fēn)	十块零八（毛） shí kuài líng bā (máo)	五十九块九毛八 wǔshíjiǔ kuài jiǔ máo bā
水 shuǐ	一瓶水 yì píng shuǐ	两瓶水 liǎng píng shuǐ
一瓶水一块五。 Yì píng shuǐ yí kuài wǔ.	要三瓶水 yào sān píng shuǐ	一瓶水和一个面包 yì píng shuǐ hé yí ge miànbāo
别的 biéde	还要别的吗？ Hái yào biéde ma?	不要别的了。 Bú yào biéde le.
别的班 biéde bān	别的朋友 biéde péngyou	别的同学 biéde tóngxué
钱 qián	多少钱 duōshao qián	一共多少钱？ Yígòng duōshao qián?
九十九块钱 jiǔshíjiǔ kuài qián	钱很多 qián hěn duō	没有钱 méiyǒu qián

一共 yígòng	一共多少钱? Yígòng duōshao qián?	一共二十六块。 Yígòng èrshíliù kuài.
一共几个? Yígòng jǐ ge?	一共多少个人? Yígòng duōshao ge rén?	一共 20 个朋友。 Yígòng èrshí ge péngyou.

四、替换词语说句子 *Substitution drills*

1. 你要 什么?
   Nǐ yào shénme?

有	买	学习
yǒu	mǎi	xuéxí

2. 我 想 买一瓶 水。
   Wǒ xiǎng mǎi yì píng shuǐ.

个	面包	本	书
gè	miànbāo	běn	shū
支	笔		
zhī	bǐ		

3. 我 要 面包，多少 钱 一个?
   Wǒ yào miànbāo, duōshao qián yí ge?

水	瓶	本子	个
shuǐ	píng	běnzi	gè
苹果	斤	笔	支
píngguǒ	jīn	bǐ	zhī

4. A: 面包 怎么 卖?
   Miànbāo zěnme mài?

   B: 一块 五一个。
   Yí kuài wǔ yí ge.

葡萄 pútao	6.00 liù kuài	斤 jīn
本子 běnzi	4.70 sì kuài qī	个 gè
笔 bǐ	9.38 jiǔ kuài sān máo bā	支 zhī
水 shuǐ	2.05 liǎng kuài líng wǔ fēn	瓶 píng

5. A：你 要 几个？
   Nǐ yào jǐ ge?

   B：我 要 三个。
   Wǒ yào sān ge.

瓶	两瓶
píng	liǎng píng
斤	一斤
jīn	yì jīn
支	九支
zhī	jiǔ zhī
本	二十本
běn	èrshí běn

6. （你）还 要 别的 吗？
   (Nǐ)　hái yào biéde ma?

你	买	他	看
nǐ	mǎi	tā	kàn
你们	学习	我们	有
nǐmen	xuéxí	wǒmen	yǒu

7. 太 贵了。
   Tài guì le.

好	好吃
hǎo	hǎochī
高兴	便宜
gāoxìng	piányi

五、练一练：完成对话　*Complete the following dialogues*

1. A：＿＿＿＿＿＿＿＿＿＿＿＿？

   B：我 要一个 面包 和一瓶 水。
   Wǒ yào yí ge miànbāo hé yì píng shuǐ.

2. A：水＿＿＿＿＿＿＿＿＿？
   shuǐ

   B：三 块一瓶。
   Sān kuài yì píng.

3. A：＿＿＿＿＿＿＿＿＿＿＿＿？

   B：我 要 两斤。
   Wǒ yào liǎng jīn.

4. A: _____?

 B：梨 六 块，葡萄 四 块 五。

 Lí liù kuài, pútao sì kuài wǔ.

5. A：这 本 书 多少 钱？

 Zhè běn shū duōshao qián?

 B：_____。

6. A：你 还 要 别的 吗？

 Nǐ hái yào biéde ma?

 B：_____。

7. A: _____?

 B：一共 二十九 块 八。

 Yígòng èrshíjiǔ kuài bā.

六、小组活动   *Group work*

1. 看图说一说   Look at the picture and talk about it.

任务一：互相问一问、说一说：图中有什么、价格是多少。

Task 1: Ask and answer questions about the items and their prices.

任务二：你有 10 元钱，要求买回一种食物、一种水果和一种饮料。

Task 2: There are 3 kinds of items here: food, fruit and drink. Buy one of each kind with the 10 *yuan* you have got.

2. 填图说一说　Fill in the blanks and talk about the picture.

任务一：互相提问并根据实际情况填入相应价格。

Task 1: Ask and answer questions about the prices according to the situation of your local market.

任务二：你有 15 元钱，要求买回一种食物、两种水果和一种饮料。

Task 2: Buy one kind of food, two kinds of fruit and some drink with the 15 *yuan* you have got.

七、复习与表达　*Review and presentation*

1. 双人练习：回答问题　Pair work: Ask and answer the following questions.

（1）你要 什么？
　　Nǐ yào shénme?

（2）你想 买 什么？
　　Nǐ xiǎng mǎi shénme?

（3）你要 几个？
　　Nǐ yào jǐ ge?

（4）梨 多少 钱一斤？
　　Lí duōshao qián yì jīn?

（5）一瓶 水 多少 钱？
　　Yì píng shuǐ duōshao qián?

（6）葡萄 怎么 卖？
　　Pútao zěnme mài?

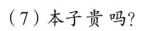
（7）本子贵吗？

Běnzi guì ma?

（8）你还要别的吗？

Nǐ hái yào biéde ma?

2. 课堂展示：语段表达 Presentation

说一说你想买的东西。

Say a few sentences about what you want to buy with the given words and sentence patterns.

参考词语和句式

我要 / 想买……	还	个	瓶	斤	支
wǒ yào / xiǎng mǎi……	hái	gè	píng	jīn	zhī
太……了	不要 / 不买	种	便宜	贵
tài……le	bú yào / bù mǎi	zhǒng	piányi	guì

挑战自我
Challenge Yourself

交际任务 *Communication task*

去商店或市场问一问，了解三种食品、三种水果、三种饮料、三种文具的价格。

Go to the local shop or market and ask for the prices of three kinds of food, fruit, beverage and stationery.

	食品 **food**		水果 **fruit**		饮料 **beverage**		文具 **stationery**	
	名称 **item**	价格 **price**	名称 **item**	价格 **price**	名称 **item**	价格 **price**	名称 **item**	价格 **price**
1								
2								
3								

这些话，我能脱口而出

8 请问，银行在哪儿
Excuse me, where's the bank

跟我读，学生词（一）　46

New Words I

1.	请问	qǐngwèn	*v.*	excuse me, please
2.	超市	chāoshì	*n.*	supermarket
3.	在	zài	*v.*	be in or at
4.	哪儿	nǎr	*pron.*	where
5.	前边	qiánbian	*n.*	front
6.	远	yuǎn	*adj.*	far
7.	看	kàn	*v.*	see, watch, look at
8.	邮局	yóujú	*n.*	post office
9.	就	jiù	*adv.*	exactly, precisely, just
10.	后边	hòubian	*n.*	at the back, behind

课文（一）　47

Text I

（Jimmy is asking a passerby for direction.）

吉米：请问，超市在哪儿？
Jímǐ: Qǐngwèn, chāoshì zài nǎr?

60

路人：在 前边。
Lùrén: Zài qiánbian.

吉米：远 吗?
Jímǐ: Yuǎn ma?

路人：不太 远，你 看，那是邮局，超市 就在 邮局 后边。
Lùrén: Bú tài yuǎn, nǐ kàn, nà shì yóujú, chāoshì jiù zài yóujú hòubian.

吉米：谢谢!
Jímǐ: Xièxie!

路人：不客气。
Lùrén: Bú kèqi.

边学边练 *Practice to learn*

1. _____ zài qiánbian.

2. Chāoshì zài _____ hòubian.

3. Chāoshì bú tài _____ .

跟我读，学生词（二）48

New Words II

1.	地方	dìfang	*n.*	place
2.	学校	xuéxiào	*n.*	school
3.	里（边）	lǐ (bian)	*n.*	inside, in, within
4.	附近	fùjìn	*n.*	close by, nearby
5.	对面	duìmiàn	*n.*	opposite
6.	旁边	pángbiān	*n.*	beside, by

专有名词 Proper Noun

中国银行	Zhōngguó Yínháng	Bank of China

课文（二）　49

Text II

(Tomomi is asking a student for direction on the campus.)

友美：请问，　中国　银行 在 什么　地方？
Yǒuměi: Qǐngwèn, Zhōngguó Yínháng zài shénme dìfang?

学生：学校 里 没有　中国　银行。
Xuésheng: Xuéxiào li méiyǒu Zhōngguó Yínháng.

友美：附近 有　中国　银行 吗？
Yǒuměi: Fùjìn yǒu Zhōngguó Yínháng ma?

学生：学校　对面 有一个，就在 超市　旁边。
Xuésheng: Xuéxiào duìmiàn yǒu yí ge, jiù zài chāoshì pángbiān.

友美：谢谢 你。
Yǒuměi: Xièxie nǐ.

学生：不用　谢。
Xuésheng: Búyòng xiè.

边学边练　*Practice to learn*

1. Qǐngwèn, Zhōngguó Yínháng zài _____?

2. Fùjìn _____ Zhōngguó Yínháng ma?

3. Chāoshì _____ yǒu yí ge Zhōngguó Yínháng.

4. Xuéxiào _____ yǒu yí ge Zhōngguó Yínháng.

功能句
Functional Sentences

【询问处所】　**Inquiring about locations**

1. 请问，　超市 在 哪儿？
　　Qǐngwèn, chāoshì zài nǎr?

2. 中国　银行 在 什么 地方？
   Zhōngguó Yínháng zài shénme dìfang?

3. 附近有　中国　银行 吗？
   Fùjìn yǒu Zhōngguó Yínháng ma?

【说明处所】 **Expressing locations**

1. 超市　在 前边。
   Chāoshì zài qiánbian.

2. 超市　在 邮局 后边。
   Chāoshì zài yóujú hòubian.

3. 学校　里 没有　中国　银行。
   Xuéxiào li méiyǒu Zhōngguó Yínháng.

4. 学校　对面 有 一个 中国　银行。
   Xuéxiào duìmiàn yǒu yí ge Zhōngguó Yínháng.

课堂活动与练习
Classroom Activities and Exercises

一、辨音辨调　*Read and distinguish*　50

kuàichē — kāichē　　nánguò — nánguài　　shàngwǎng — shāngwáng

yǎnjing — yǎnjìng　　bànlǐ — pānbǐ　　běifāng — běnháng

bìxū — bǐyù　　dǎban — dàfang

二、语音练习　*Pronunciation*　51

dōngbian　东边 east	xībian　西边 west	nánbian　南边 south
běibian　北边 north	yīyuàn　医院 hospital	chēzhàn　车站 bus station
dìtiězhàn　地铁站 subway station		xǐshǒujiān　洗手间 restroom

zài dōngbian　　zài xībian　　zài nánbian　　zài běibian

qù chēzhàn　　shàng yīyuàn　　zhǎo xǐshǒujiān　　qù dìtiězhàn

三、大声读一读 *Read aloud*

前边 qiánbian	后边 hòubian	里边 lǐbian	旁边 pángbiān
东边 dōngbian	对面 duìmiàn	在对面 zài duìmiàn	在邮局对面 zài yóujú duìmiàn
超市在邮局对面。 Chāoshì zài yóujú duìmiàn.		超市不在邮局对面。 Chāoshì bú zài yóujú duìmiàn.	
在哪儿 zài nǎr	超市在哪儿? Chāoshì zài nǎr?	哪儿有 nǎr yǒu	哪儿有银行? Nǎr yǒu yínháng?
这个地方 zhège dìfang	什么地方 shénme dìfang	银行在什么地方? Yínháng zài shénme dìfang?	
有 yǒu	没有 méiyǒu	有一个 yǒu yí ge	有一个邮局 yǒu yí ge yóujú
学校里边有一个邮局。 Xuéxiào lǐbian yǒu yí ge yóujú.		学校里边没有医院。 Xuéxiào lǐbian méiyǒu yīyuàn.	
太远了 tài yuǎn le	太贵了 tài guì le	不太远 bú tài yuǎn	不太贵 bú tài guì

四、替换词语说句子 *Substitution drills*

1. 请问，　超市　在哪儿?
　　Qǐngwèn, chāoshì zài nǎr?

银行 yínháng
医院 yīyuàn
地铁站 dìtiězhàn

2. 请问，　你家　在　什么　地方?
　　Qǐngwèn, nǐ jiā zài shénme dìfang?

车站 chēzhàn
邮局 yóujú
洗手间 xǐshǒujiān

3. A：请问， 银行 在 哪儿?

      Qǐngwèn, yínháng zài nǎr?

  B：银行 在 邮局 旁边。

      Yínháng zài yóujú pángbiān.

医院 yīyuàn	对面 duìmiàn
学校 xuéxiào	东边 dōngbian
超市 chāoshì	南边 nánbian
车站 chēzhàn	西边 xībian
我家 wǒ jiā	北边 běibian

4. 附近 有 超市 吗?

  Fùjìn yǒu chāoshì ma?

学校前边 xuéxiào qiánbian	车站 chēzhàn
学校里边 xuéxiào lǐbian	银行 yínháng
你家附近 nǐ jiā fùjìn	学校 xuéxiào

5. 附近 没有 邮局。

  Fùjìn méiyǒu yóujú.

前边 qiánbian	地铁站 dìtiězhàn
超市里边 chāoshì lǐbian	洗手间 xǐshǒujiān
我家旁边 wǒ jiā pángbiān	医院 yīyuàn

6. A：地铁站 远 吗?

      Dìtiězhàn yuǎn ma?

  B：不 远，就 在 学校 前边。

      Bù yuǎn, jiù zài xuéxiào qiánbian.

银行 yínháng	学校里边 xuéxiào lǐbian
车站 chēzhàn	邮局对面 yóujú duìmiàn
学校 xuéxiào	我家旁边 wǒ jiā pángbiān

五、练一练：完成对话 *Complete the following dialogues*

1. A：请问，_____？
   qǐngwèn

   B：医院 在 前边，   中国   银行   对面。
   Yīyuàn zài qiánbian, Zhōngguó Yínháng duìmiàn.

2. A：请问，_____？
   qǐngwèn

   B：学校   里边 没有   银行。
   Xuéxiào lǐbian méiyǒu yínháng.

3. A：附近_____？
   fùjìn

   B：对面   有一个，你看，就在 车站   旁边。
   Duìmiàn yǒu yí ge,   nǐ kàn, jiù zài chēzhàn pángbiān.

4. A：_____？

   B：不 远，就在 前边。
   Bù yuǎn, jiù zài qiánbian.

5. A：请问，   地铁站 在 什么 地方？
   Qǐngwèn, dìtiězhàn zài shénme dìfang?

   B：_____。

6. A：请问，哪儿有 银行？
   Qǐngwèn, nǎr yǒu yínháng?

   B：_____。

   A：远 吗？
   Yuǎn ma?

   B：_____。

六、小组活动　*Group work*

1.看图说一说　Look at the diagram and talk about it.

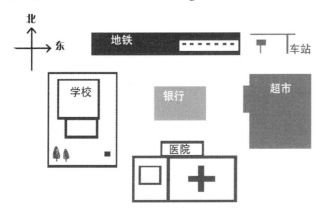

任务：互相问一问、说一说图中这个地方有什么以及它们的位置。

Task: Ask and answer questions about what are in the picture and where they are located.

2.填图说一说　Fill in the diagram and talk about it.

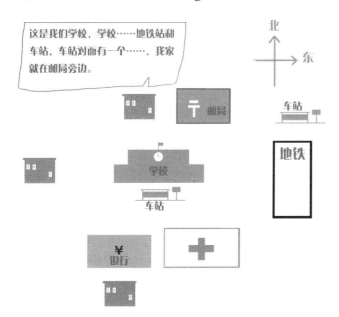

任务一：读字条并根据字条内容标出"我家"。

Task 1: Read the note and mark "my house" in the picture according to the note.

任务二：问一问、说一说图中还有什么以及它们的位置。

Task 2: Ask and answer questions about what else are in the picture and where they are located.

七、复习与表达　*Review and presentation*

1. 双人练习：回答问题　Pair work: Ask and answer the following questions.

（1）请问，　超市 在 哪儿？
Qǐngwèn, chāoshì zài nǎr?

（2）请问，　洗手间 在 什么 地方？
Qǐngwèn, xǐshǒujiān zài shénme dìfang?

（3）请问，　这个 地方有 银行 吗？
Qǐngwèn, zhège dìfang yǒu yínháng ma?

（4）请问，　学校 前边 有 地铁站 吗？
Qǐngwèn, xuéxiào qiánbian yǒu dìtiězhàn ma?

（5）请问，　附近有 车站 吗？
Qǐngwèn, fùjìn yǒu chēzhàn ma?

（6）请问，哪儿有 中国 银行？ 远 吗？
Qǐngwèn, nǎr yǒu Zhōngguó Yínháng? Yuǎn ma?

（7）你家在 学校 附近吗？ 你家远 吗？
Nǐ jiā zài xuéxiào fùjìn ma?　Nǐ jiā yuǎn ma?

2. 课堂展示：语段表达　Presentation

说一说你家附近都有什么建筑。

Say a few sentences about what there are around your neighbourhood with the given words and phrases.

参考词语

附近	前边	旁边	对面	车站	地铁站
fùjìn	qiánbian	pángbiān	duìmiàn	chēzhàn	dìtiězhàn
银行	医院	邮局	超市	在	有　是　远
yínháng	yīyuàn	yóujú	chāoshì	zài	yǒu　shì　yuǎn

挑战自我
Challenge Yourself

交际任务 *Communication task*

去附近走一走、问一问，了解一下附近有没有超市、邮局、银行、医院、车站、地铁站，画一张简图并说明它们的位置。

Walk around in your neighbourhood and ask for the directions of the supermarket, post office, bank, hospital, bus stop, subway station, etc. Draw a simple map and describe their locations.

↑北（běi）

这些话，我能脱口而出

9 今天几月几号

What's the date today

跟我读，学生词（一） 52

New Words I

1.	去	qù	*v.*	go
2.	教室	jiàoshì	*n.*	classroom
3.	课	kè	*n.*	class, lesson, course
4.	的	de	*part.*	of (*used after an attributive word or phrase*)
5.	电脑	diànnǎo	*n.*	computer
6.	哦	ò	*int.*	*expressing realization and understanding*

课文（一） 53

Text I

（Park Dae-Jung meets Jimmy in front of the apartment building.）

朴大中： 你 去 哪儿？
Piáo Dàzhōng: Nǐ qù nǎr?

吉米： 我 去 教室。
Jímǐ: Wǒ qù jiàoshì.

朴大中： 去 教室？ 今天 星期六，没有 课。
Piáo Dàzhōng: Qù jiàoshì? Jīntiān xīngqīliù, méiyǒu kè.

吉米： 星期六？ 不 对，今天 星期五。
Jímǐ: Xīngqīliù? Bú duì, jīntiān xīngqīwǔ.

朴大中： 你看你的 电脑，今天 星期六。
Piáo Dàzhōng: Nǐ kàn nǐ de diànnǎo, jīntiān xīngqīliù.

吉米： 今天 几月几号？
Jímǐ: Jīntiān jǐ yuè jǐ hào?

朴大中：9月　26　号。
Piáo Dàzhōng: Jiǔyuè èrshíliù hào.

吉米：哦，9月　26　号，星期六。没有课，太好了！
Jímǐ: Ò,　jiǔyuè èrshíliù hào,　xīngqīliù.　Méiyǒu kè,　tài hǎo le!

边学边练　*Practice to learn*

1. Jímǐ xiǎng qù _____ .

2. Jīntiān _____ yuè _____ hào, _____ .

3. Jīntiān xīngqīliù, méiyǒu _____ , Jímǐ hěn gāoxìng.

跟我读，学生词（二） 54

New Words II

1.	今年	jīnnián	*n.*	this year
2.	生日	shēngrì	*n.*	birthday
3.	放假	fàngjià	*v.*	have a holiday or vacation
4.	咱们	zánmen	*pron.*	we, us
5.	一起	yìqǐ	*adv.*	together
6.	玩儿	wánr	*v.*	have fun, play
7.	怎么样	zěnmeyàng	*pron.*	what about, how about
8.	没问题	méi wèntí		no problem

专有名词　Proper Noun

中秋节　　　Zhōngqiū Jié　　　Mid-Autumn Festival

课文（二） 55

Text II

（Hannah and Martin are chatting on the way.）

汉娜：今天　几月几号？
Hànnà: Jīntiān jǐ yuè jǐ hào?

马丁：今天　9月　14　号。
Mǎdīng: Jīntiān jiǔyuè shísì hào.

汉娜：明天　是　中秋　节，对吗?
Hànnà: Míngtiān shì Zhōngqiū Jié, duì ma?

马丁：不 对，今年 的　中秋　节 是 10月 4 号。
Mǎdīng: Bú duì, jīnnián de Zhōngqiū Jié shì shíyuè sì hào.

汉娜：10月　4 号? 10月 4 号是 我 的　生日。
Hànnà: Shíyuè sì hào? Shíyuè sì hào shì wǒ de shēngrì.

马丁：太 好 了，中秋　节 放假，咱们 一起 去 玩儿，怎么样?
Mǎdīng: Tài hǎo le, Zhōngqiū Jié fàngjià, zánmen yìqǐ qù wánr, zěnmeyàng?

汉娜：好 的，没 问题。
Hànnà: Hǎo de, méi wèntí.

边学边练　*Practice to learn*

1. Míngtiān bú shì _____ .

2. _____ de Zhōngqiū Jié shì shí yuè sì hào.

3. Hànnà de shēngrì shì _____ .

4. Zhōngqiū Jié _____ , Mǎdīng xiǎng hé Hànnà _____ qù _____ .

功能句
Functional Sentences

【谈论日期】 **Talking about dates**

1. 今天　几月 几号?

   Jīntiān jǐ yuè jǐ hào?

2. 今天　9月　14　号。

   Jīntiān jiǔyuè shísì hào.

3. 明天　星期 几?

   Míngtiān xīngqī jǐ?

4. 明天　星期二。

Míngtiān xīngqī'èr.

【确认】 **Confirmation**

明天　是　中秋　节，对吗？

Míngtiān shì Zhōngqiū Jié, duì ma?

【谈论看法】 **Expressing ideas**

1. 咱们　一起　去　玩儿，怎么样？

Zánmen yìqǐ　qù　wánr, zěnmeyàng?

2. 好　的，没　问题。

Hǎo de, méi wèntí.

课堂活动与练习
Classroom Activities and Exercises

一、辨音辨调 *Read and distinguish*　56

làngmàn — lànmàn　　　nǎlǐ — nàlǐ　　fēngyǔ — fùyù　　hǎobǐ — hébì
hóng dēng — huáng dēng　yùqī — yìqǐ　　mánglù — mángmù　qūfú — qīfu

二、语音练习 *Pronunciation*　57

zuótiān　昨天 yesterday	qiántiān　前天 the day before yesterday
hòutiān　后天 the day after tomorrow	gōngyuán　公园 park
túshūguǎn　图书馆 library	jiǔbā　酒吧 bar, pub
dōngxi　东西 thing	diànyǐng　电影 movie

Zuótiān wǒ méi kè.　　　　　Qiántiān wǒ qù jiǔbā le.

Hòutiān wǒ qù mǎi diànnǎo.　　Wǒ xiǎng qù gōngyuán.

三、大声读一读 *Read aloud*

去哪儿 qù nǎr	去教室 qù jiàoshì	去玩儿 qù wánr
去买东西 qù mǎi dōngxi	去朋友家 qù péngyou jiā	去朋友家玩儿 qù péngyou jiā wánr
看书 kàn shū	看电脑 kàn diànnǎo	我看书 wǒ kàn shū
我们一起看书。 Wǒmen yìqǐ kàn shū.	你看，那是谁? Nǐ kàn, nà shì shéi?	
10 月 shíyuè	10 月 1 日 shíyuè yī rì	10 月 1 号 shíyuè yī hào
今天 10 月 1 号。 Jīntiān shíyuè yī hào.	今天是 10 月 1 号。 Jīntiān shì shíyuè yī hào.	10 月 1 号放假。 Shíyuè yī hào fàngjià.
对 duì	对吗 duì ma	不对 bú duì
我的 wǒ de	他的 tā de	我的电脑 wǒ de diànnǎo
他的朋友 tā de péngyou	这是你的东西吗? Zhè shì nǐ de dōngxi ma?	
我的生日 wǒ de shēngrì	妈妈的生日 māma de shēngrì	明天是妈妈的生日。 Míngtiān shì māma de shēngrì.
一起去 yìqǐ qù	咱们一起去。 Zánmen yìqǐ qù.	咱们一起去公园。 Zánmen yìqǐ qù gōngyuán.
咱们一起去公园玩儿。 Zánmen yìqǐ qù gōngyuán wánr.	后天咱们一起去公园玩儿。 Hòutiān zánmen yìqǐ qù gōngyuán wánr.	

四、替换词语说句子 *Substitution drills*

1. 今天 几月几号?
   Jīntiān jǐ yuè jǐ hào?

昨天 zuótiān	后天 hòutiān
前天 qiántiān	明天 míngtiān

2. <u>今天</u> 星期几?
　　<u>Jīntiān</u> xīngqī jǐ?

明天	15号
míngtiān	shíwǔ hào
6月10号	
liùyuè shí hào	

3. <u>明天</u> <u>2</u>月 <u>7</u> 号，星期四。
　　<u>Míngtiān</u> <u>èr</u>yuè <u>qī</u> hào，xīngqī<u>sì</u>。

7	11	二
qī	shíyī	èr
11	23	六
shíyī	èrshísān	liù
12	31	日
shí'èr	sānshíyī	rì

4. A: 你去哪儿?
　　　Nǐ qù nǎr?

　　B: 我去 <u>学校</u>。
　　　Wǒ qù xuéxiào.

图书馆	酒吧
túshūguǎn	jiǔbā
公园	超市买东西
gōngyuán	chāoshì mǎi dōngxi

5. A: <u>咱们 一起去玩儿</u>，怎么样?
　　　<u>Zánmen yìqǐ qù wánr</u>，zěnmeyàng?

　　B: 好 的，没 问题。
　　　Hǎo de，méi wèntí.

我们一起看电影
wǒmen yìqǐ kàn diànyǐng
你们去买东西
nǐmen qù mǎi dōngxi
我们去公园玩儿
wǒmen qù gōngyuán wánr

6. A: <u>明天 是 中秋 节</u>，对 吗?
　　　<u>Míngtiān shì Zhōngqiū Jié</u>，duì ma?

　　B: 不 对，<u>后天 是 中秋 节</u>。
　　　Bú duì，<u>hòutiān shì Zhōngqiū Jié</u>.

今天星期日	今天是星期六
jīntiān xīngqīrì	jīntiān shì xīngqīliù
他是韩国人	他是中国人
tā shì Hánguó rén	tā shì Zhōngguó rén
这是你的电脑	
zhè shì nǐ de diànnǎo	
这是我朋友的电脑	
zhè shì wǒ péngyou de diànnǎo	

五、练一练：完成对话　**Complete the following dialogues**

1. A：今天＿＿＿＿＿＿＿＿＿＿＿？
　　　jīntiān

　　B：今天　12月　19　号。
　　　Jīntiān shí'èryuè shíjiǔ hào.

2. A：明天＿＿＿＿＿＿＿＿＿＿＿？
　　　míngtiān

　　B：明天　星期五。
　　　Míngtiān xīngqīwǔ.

3. A：明天＿＿＿＿＿＿＿＿＿＿＿？
　　　míngtiān

　　B：不对，明天　星期三。
　　　Bú duì, míngtiān xīngqīsān.

4. A：＿＿＿＿＿＿＿＿＿＿＿？

　　B：我　去买　东西。
　　　Wǒ qù mǎi dōngxi.

5. A：你去哪儿？
　　　Nǐ qù nǎr?

　　B：＿＿＿＿＿＿＿＿＿＿＿。

6. A：咱们　买　葡萄，怎么样？
　　　Zánmen mǎi pútao, zěnmeyàng?

　　B：＿＿＿＿＿＿＿＿＿＿＿。

7. A：＿＿＿＿＿＿＿＿＿＿＿，怎么样？
　　　　　　　　　　　　　　zěnmeyàng

　　B：好　的，我们　明天　去。
　　　Hǎo de, wǒmen míngtiān qù.

六、小组活动　*Group work*

1. 看图说一说　Look at the table and talk about it.

10月						
一	二	三	四	五	六	日
					中秋放假 1	中秋放假 2
中秋放假 3	汉娜生日 4	中秋放假 5	中秋放假 6	中秋放假 7	8	9
10	11	有课 12	有课 13	有课 14	15	16
去图书馆 17	18	有课 19	有课 20	有课 21	22	23
24	25	有课 26	有课 27	有课 28	29	去图书馆 30
31						

任务：说一说马丁这个月的安排：哪天上课、哪天去图书馆、哪天中秋节、哪天放假、哪天是汉娜的生日。

Task: Ask and answer questions about Martin's schedule.

2. 填图说一说　Fill in the tables and talk about them.

月						
一	二	三	四	五	六	日

月						
一	二	三	四	五	六	日

任务一：在一张月历中标明自己的生日和当月的安排。

Task 1: Mark your birthday and some of your arrangements on the calendar.

任务二：互相提问，在另一张月历中填入对方的生日和安排。

Task 2: Ask questions about your partner's birthday and the arrangements and mark them on the calendar.

七、复习与表达　*Review and presentation*

1.双人练习：回答问题　Pair work: Ask and answer the following questions.

（1）今天　几月几号？
　　　Jīntiān jǐ yuè jǐ hào?

（2）你 的 生日　是 几月几号？
　　　Nǐ de shēngrì shì jǐ yuè jǐ hào?

（3）今天　星期几？
　　　Jīntiān xīngqī jǐ ?

（4）明天　　是 星期六 吗？
　　　Míngtiān shì xīngqīliù ma?

（5）明天　　是 10月　28　号，对 吗？
　　　Míngtiān shì shíyuè èrshíbā hào，duì ma?

（6）星期五　有 课 吗？
　　　Xīngqīwǔ yǒu kè ma?

（7）星期日 没有 课，对 吗？
　　　Xīngqīrì méiyǒu kè， duì ma?

（8）今年　的　中秋　节 是 几月几号？
　　　Jīnnián de Zhōngqiū Jié shì jǐ yuè jǐ hào?

（9）中秋　　节 放假 吗？
　　　Zhōngqiū Jié fàngjià ma?

（10）咱们　一起 去 玩儿，怎么样？
　　　Zánmen yìqǐ qù wánr，zěnmeyàng?

（11）中秋　　节 放假，你们 去 哪儿？
　　　Zhōngqiū Jié fàngjià，nǐmen qù nǎr?

2.课堂展示：语段表达　Presentation

说一说这学期你的时间安排。

Say a few sentences about your schedule this semester with the given words and expressions.

参考词语和句式

……月……号		星期……	有课	没有课
……yuè……hào		xīngqī……	yǒu kè	méiyǒu kè
今年	中秋节	放假	一起	玩儿
jīnnián	Zhōngqiū Jié	fàngjià	yìqǐ	wánr

挑战自我
Challenge Yourself

交际任务 *Communication task*

找中国朋友了解一下中国主要传统节假日的农历时间和公历时间。

Lunar calendar is often used for marking traditional holidays in China. Ask one of your Chinese friends about the dates of some traditional Chinese holidays and festivals on lunar calendar and on Gregorian calendar respectively.

节日 **holiday**	农历 **lunar calendar**	公历 **Gregorian/solar calendar**

这些话，我能脱口而出

10 我每天8点上课
I have class at 8 o'clock every day

New Words I

1.	每	měi	*pron.*	every, each
2.	天	tiān	*m.*	day
3.	点	diǎn	*m.*	o'clock
4.	上课	shàngkè	*v.*	attend class, go to class
5.	下课	xiàkè	*v.*	finish class, class is over
6.	半	bàn	*num.*	half
7.	节	jié	*m.*	section
8.	多长	duō cháng		how long
	多	duō	*adv.*	(*used in a question*) to what extent
	长	cháng	*adj.*	long
9.	时间	shíjiān	*n.*	time, duration
10.	分钟	fēnzhōng	*m.*	minute
11.	上午	shàngwǔ	*n.*	morning
12.	有的	yǒude	*pron.*	some
13.	时候	shíhou	*n.*	time, moment

课　文（一）　59

Text I

（Tomomi is chatting with a friend.）

朋友： 你 每 天 几点 上课？
péngyou: Nǐ měi tiān jǐ diǎn shàngkè?

82

友美：我 每天 8 点 上课。
Yǒuměi： Wǒ měi tiān bā diǎn shàngkè.

朋友：几点 下课？
péngyou： Jǐ diǎn xiàkè?

友美：11 点 半 下课。
Yǒuměi： Shíyī diǎn bàn xiàkè.

朋友：一节课多 长 时间？
péngyou： Yì jié kè duō cháng shíjiān?

友美：一节课 50 分钟。
Yǒuměi： Yì jié kè wǔshí fēnzhōng.

朋友：你们 每 天 有 几节课？
péngyou： Nǐmen měi tiān yǒu jǐ jié kè ?

友美：我们 每 天 上午 有 四节课，下午有的 时候 有 课，有的 时候
Yǒuměi： Wǒmen měi tiān shàngwǔ yǒu sì jié kè， xiàwǔ yǒude shíhou yǒu kè， yǒude shíhou

没有 课。
méiyǒu kè.

边学边练 *Practice to learn*

1. Yǒuměi měi tiān _____ shàngkè, _____ xiàkè.

2. Yǒuměi: _____ yǒu sì jié kè.

3. Yì jié kè wǔshí _____.

4. Yǒuměi: _____ yǒude shíhou méiyǒu kè.

跟我读，学生词（二） 60

New Words II

1.	现在	xiànzài	*n.*	now
2.	分	fēn	*m.*	(of time) minute
3.	晚	wǎn	*adj.*	late
4.	睡觉	shuìjiào	*v.*	sleep

5.	吧	ba	*part.*	*used at the end of a sentence to indicate suggestion, request or mild command*
6.	差	chà	*v.*	be short of, be less than
7.	刻	kè	*m.*	quarter (of an hour)
8.	起床	qǐchuáng	*v.*	get up
9.	公司	gōngsī	*n.*	company
10.	回来	huílai	*v.*	come back
	回	huí	*v.*	return, go back
11.	吃	chī	*v.*	eat
12.	晚饭（餐）	wǎnfàn (cān)	*n.*	supper, dinner
13.	晚安	wǎn'ān	*v.*	good night

课文（二） 61

Text II

（In the evening, both Jimmy and Dae-Jung are in the living room in their apartment.）

吉米：现在 几点？
Jímǐ: Xiànzài jǐ diǎn?

朴大中：现在 11 点 10 分。
Piáo Dàzhōng: Xiànzài shíyī diǎn shí fēn.

吉米：11 点 10 分？太 晚 了。
Jímǐ: Shíyī diǎn shí fēn? Tài wǎn le.

朴大中：对，太 晚 了，睡觉 吧。明天 差 一刻 7 点 起床。
Piáo Dàzhōng: Duì, tài wǎn le, shuìjiào ba. Míngtiān chà yí kè qī diǎn qǐchuáng.

吉米：明天 星期几？
Jímǐ: Míngtiān xīngqī jǐ?

朴大中：星期二。你 有 课 吗？
Piáo Dàzhōng: Xīngqī'èr. Nǐ yǒu kè ma?

吉米：有。
Jímǐ: Yǒu.

朴大中：几 点 上课？
Piáo Dàzhōng：　Jǐ diǎn shàngkè?

吉米：8 点 上课。你呢？你 几点 去 公司？
Jímǐ：　Bā diǎn shàngkè. Nǐ ne?　Nǐ jǐ diǎn qù gōngsī?

朴大中：8 点 半。
Piáo Dàzhōng：　Bā diǎn bàn.

吉米：什么 时候 回来？
Jímǐ：　Shénme shíhou huílai?

朴大中：晚上 7点。你 明天 下午 有 课 吗？
Piáo Dàzhōng：　Wǎnshang qī diǎn. Nǐ míngtiān xiàwǔ yǒu kè ma?

吉米：下午 有 两节课，3 点 半下课，5 点 回来。
Jímǐ：　Xiàwǔ yǒu liǎng jié kè, sān diǎn bàn xiàkè, wǔ diǎn huílai.

朴大中：晚上 我们 一起吃 晚饭，怎么样？
Piáo Dàzhōng：　Wǎnshang wǒmen yìqǐ chī wǎnfàn, zěnmeyàng?

吉米：好。睡觉 吧，晚安。
Jímǐ：　Hǎo. Shuìjiào ba, wǎn'ān.

边学边练　*Practice to learn*

1. Xiànzài _____ , tài _____ le.

2. Jímǐ míngtiān _____ shàngkè.

3. Piáo Dàzhōng míngtiān _____ qù gōngsī, wǎnshang qī diǎn _____ .

4. Jímǐ sān diǎn bàn _____ , wǔ diǎn _____ .

5. Tāmen xiǎng wǎnshang yìqǐ _____ .

功能句
Functional Sentences

【时间表达】 Expressing time

1. 现在 几点？
Xiànzài jǐ diǎn?

2. 8:00 8 点
   bā diǎn

3. 8:05 8 点 5 分 / 8 点 零五
   bā diǎn wǔ fēn / bā diǎn líng wǔ

4. 8:10 8 点 10 分
   bā diǎn shī fēn

5. 8:15 8 点 一刻
   bā diǎn yí kè

6. 8:30 8 点 半
   bā diǎn bàn

7. 8:50 8 点 50 / 差 10 分 9 点
   bā diǎn wǔshí / chà shí fēn jiǔ diǎn

【时段表达】 Expressing duration of time

1. 一节课多 长 时间？
   Yì jié kè duō cháng shíjiān?

2. 一节课 50 分钟。
   Yì jié kè wǔshí fēnzhōng.

【谈论时间与安排】 Talking about time and arrangements

1. 你每天几点 上课？
   Nǐ měi tiān jǐ diǎn shàngkè?

2. 我 每天 8 点 上课。
   Wǒ měi tiān bā diǎn shàngkè.

3. 你 明天 下午有课吗？
   Nǐ míngtiān xiàwǔ yǒu kè ma?

4. 明天 下午 没有 课。
   Míngtiān xiàwǔ méiyǒu kè.

5. 你几点 去公司？
   Nǐ jǐ diǎn qù gōngsī?

6. 8 点半去公司。
   Bā diǎn bàn qù gōngsī.

7. 你 什么 时候 回来？

    Nǐ shénme shíhou huílai?

8. 晚上　　7 点 回来。

    Wǎnshang qī diǎn huílai.

课堂活动与练习
Classroom Activities and Exercises

一、辨音辨调　*Read and distinguish*　62

nánshòu — nénggòu　kěyǐ — kèqi　　fānyì — fàngqì　　píngrì — píngshí

rénshēng — rènshi　hǎochī — hàoqí　cháng de — zāng de　xiàbān — shàngbān

二、语音练习　*Pronunciation*　63

shàngbān	上班 go to work	xiàbān	下班 get off work
yùndòng	运动 sports, exercise	xiūxi	休息 rest
zǎofàn	早饭 breakfast	wǔfàn	午饭 lunch

Míngtiān bú shàngbān.　　　　　　Tāmen xiàbān le.

Hái méi chī wǔfàn.　　　　　　　　Jīntiān wǒ xiūxi.

三、大声读一读　*Read aloud*

几点	现在几点？	现在十二点十分。
jǐ diǎn	Xiànzài jǐ diǎn?	Xiànzài shí'èr diǎn shí fēn.
现在十二点一刻。	现在十二点半。	现在差一刻一点。
Xiànzài shí'èr diǎn yí kè.	Xiànzài shí'èr diǎn bàn.	Xiànzài chà yí kè yì diǎn.
课	上课	下课
kè	shàngkè	xiàkè
有课	每天有课	每天八点上课
yǒu kè	měi tiān yǒu kè	měi tiān bā diǎn shàngkè

节 jié	两节课 liǎng jié kè	有两节课 yǒu liǎng jié kè
下午有两节课。 Xiàwǔ yǒu liǎng jié kè.	今天下午有两节课。 Jīntiān xiàwǔ yǒu liǎng jié kè.	我们今天下午有两节课。 Wǒmen jīntiān xiàwǔ yǒu liǎng jié kè.
时间 shíjiān	有时间 yǒu shíjiān	没有时间 méiyǒu shíjiān
你有时间吗？ Nǐ yǒu shíjiān ma?	多长时间 duō cháng shíjiān	一节课多长时间？ Yì jié kè duō cháng shíjiān?
分钟 fēnzhōng	十分钟 shí fēnzhōng	五十分钟 wǔshí fēnzhōng
一节课五十分钟。 Yì jié kè wǔshí fēnzhōng.	休息十分钟。 Xiūxi shí fēnzhōng.	我们休息十分钟。 Wǒmen xiūxi shí fēnzhōng.
时候 shíhou	有的时候 yǒude shíhou	有的时候不休息。 Yǒude shíhou bù xiūxi.
什么时候有课？ Shénme shíhou yǒu kè?	你什么时候吃午饭？ Nǐ shénme shíhou chī wǔfàn?	你们什么时候回来？ Nǐmen shénme shíhou huílai?
吧 ba	起床吧。 Qǐchuáng ba.	睡觉吧。 Shuìjiào ba.
上课吧。 Shàngkè ba.	我们上课吧。 Wǒmen shàngkè ba.	我们休息十分钟吧。 Wǒmen xiūxi shí fēnzhōng ba.

四、替换词语说句子　*Substitution drills*

1. A：现在 几点？
   　　Xiànzài jǐ diǎn?

   B：现在 <u>10</u> 点。
   　　Xiànzài <u>shí</u> diǎn.

2. 你 每 天 几点 <u>上课</u>？
   　Nǐ měi tiān jǐ diǎn <u>shàngkè</u>?

起床 qǐchuáng	吃午饭 chī wǔfàn
吃早饭 chī zǎofàn	上班 shàngbān

3. A：你 什么 时候 回来？
   Nǐ shénme shíhou huílai?

   B：我 7 点 回来。
   Wǒ qī diǎn huílai.

下班 xiàbān	5点 wǔ diǎn
去学校 qù xuéxiào	明天 míngtiān
没有课 méiyǒu kè	星期日 xīngqīrì

4. A：你今天 去 公司 吗？
   Nǐ jīntiān qù gōngsī ma?

   B：（我）去。
   (Wǒ)　qù.

买面包 mǎi miànbāo	不买 bù mǎi
有课 yǒu kè	没有 méiyǒu
去运动 qù yùndòng	去 qù

5. A：你 每 天 下午 有课 吗？
   Nǐ měi tiān xiàwǔ yǒu kè ma?

   B：有的 时候 有，有的 时候 没有。
   Yǒude shíhou yǒu，yǒude shíhou méiyǒu.

运动 yùndòng	运动 yùndòng	不运动 bú yùndòng
看书 kàn shū	看 kàn	不看 bú kàn
吃早饭 chī zǎofàn	吃 chī	不吃 bù chī

6. 太 晚 了，我们 睡觉 吧。
   Tài wǎn le，wǒmen shuìjiào ba.

现在11:30 xiànzài shíyī diǎn bàn	下课 xiàkè
下午没有课 xiàwǔ méiyǒu kè	去公园 qù gōngyuán
明天休息 míngtiān xiūxi	去看电影 qù kàn diànyǐng

7. A：一节课多 长 时间？
　　　Yì jié kè duō cháng shíjiān?

　 B：一节课 50 分钟。
　　　Yì jié kè wǔshí fēnzhōng.

| 他的课
tā de kè | 60
liùshí |
| 这个电影
zhège diànyǐng | 90
jiǔshí |

8. A：我们 休息多 长 时间？
　　　Wǒmen xiūxi duō cháng shíjiān?

　 B：我们 休息10 分钟。
　　　Wǒmen xiūxi shí fēnzhōng.

你每天运动 nǐ měi tiān yùndòng	
我每天运动60分钟 wǒ měi tiān yùndòng liùshí fēnzhōng	
你去 nǐ qù	我去一个星期 wǒ qù yí ge xīngqī

五、练一练：完成对话　*Complete the following dialogues*

1. A：现在 _____?
　　　xiànzài

　 B：现在　9:45。
　　　Xiànzài jiǔ diǎn sìshíwǔ.

2. A：你几点 _____? 几点 _____?
　　　nǐ jǐ diǎn　　　　jǐ diǎn

　 B：我　6:30　起床，7 点 吃 早饭。
　　　Wǒ liù diǎn bàn qǐchuáng, qī diǎn chī zǎofàn.

3. A：你每天 _____?
　　　nǐ měi tiān

　 B：我 每天 8 点 上课。
　　　Wǒ měi tiān bā diǎn shàngkè.

4. A：_____?

　 B：我 今天 不去，明天 去。
　　　Wǒ jīntiān bú qù, míngtiān qù.

5. A：你 每 天 运动 吗？

　　Nǐ měi tiān yùndòng ma?

　B：_____ 。

6. A：你 想 休息多 长 时间？

　　Nǐ xiǎng xiūxi duō cháng shíjiān?

　B：_____ 。

7. A：_____ 。

　B：好 的。

　　Hǎo de.

六、小组活动　　***Group work***

看图说一说　　Look at the picture and talk about it.

任务一：互相问一问、说一说图中这个人一天的安排。

Task 1: Ask and answer questions about what the man does in a day.

任务二：问一问、说一说你们的一天。

Task 2. Ask and answer questions about one of your days.

七、复习与表达 *Review and presentation*

1. 双人练习：回答问题 Pair work: Ask and answer the following questions.

（1）你每天几点 起床?
　　　Nǐ měi tiān jǐ diǎn qǐchuáng?

（2）你每天 吃早饭 吗?
　　　Nǐ měi tiān chī zǎofàn ma?

（3）你星期几有 课?
　　　Nǐ xīngqī jǐ yǒu kè?

（4）你每天 下午有课 吗?
　　　Nǐ měi tiān xiàwǔ yǒu kè ma?

（5）早上 几点 上课? 几点下课?
　　　Zǎoshang jǐ diǎn shàngkè? Jǐ diǎn xiàkè?

（6）一节课多 长 时间?
　　　Yì jié kè duō cháng shíjiān?

（7）你们 什么 时候休息? 休息多 长 时间?
　　　Nǐmen shénme shíhou xiūxi? Xiūxi duō cháng shíjiān?

（8）你每天 运动 吗? 每天 运动 多 长 时间?
　　　Nǐ měi tiān yùndòng ma? Měi tiān yùndòng duō cháng shíjiān?

（9）你们 什么 时候 放假?
　　　Nǐmen shénme shíhou fàngjià?

2. 课堂展示：语段表达 Presentation

说一说你自己一天的安排。

Say a few sentences about your everyday schedule with the given words and expressions.

参考词语

每天	起床	吃早饭	上课	上班
měi tiān	qǐchuáng	chī zǎofàn	shàngkè	shàngbān

下课	下班	休息	一节课	分钟
xiàkè	xiàbān	xiūxi	yì jié kè	fēnzhōng

有的时候	一起	回来	睡觉
yǒude shíhou	yìqǐ	huílai	shuìjiào

挑战自我
Challenge Yourself

交际任务 *Communication task*

分别找中国学生、银行职员、售货员等，问一问他们每天的作息时间。

Talk with a Chinese student, a bank clerk, a shop assistant or someone else and ask about his/her daily timetable.

	时间　time	安排　activity
中国学生 **Chinese student**		
银行职员 **bank clerk**		
售货员 **shop assistant**		

这些话，我能脱口而出

11 我住在留学生宿舍

I stay in the International Student Dormitory

跟我读，学生词（一） 64

New Words I

1. 住	zhù	*v.*	live, stay
2. 在	zài	*prep.*	at, in, on
3. 留学生	liúxuéshēng	*n.*	student studying abroad, international student
4. 宿舍	sùshè	*n.*	dormitory
5. 外边	wàibian	*n.*	out, outside
6. 小区	xiǎoqū	*n.*	residential area, housing estate
7. 离	lí	*v.*	be away from
8. 骑	qí	*v.*	ride (an animal or bicycle)
9. 自行车	zìxíngchē	*n.*	bicycle
10. 走路	zǒulù	*v.*	walk
11. 小时	xiǎoshí	*n.*	hour
12. 近	jìn	*adj.*	near

专有名词　Proper Noun

花园小区	Huāyuán Xiǎoqū	Garden Housing Estate

课文（一） 65

Text I

（Li Xue meets Tomomi on campus after school.）

李雪： 友美，你现在 住哪儿？
Lǐ Xuě: Yǒuměi, nǐ xiànzài zhù nǎr?

友美： 我 住在 留学生 宿舍。你呢？
Yǒuměi: Wǒ zhù zài liúxuéshēng sùshè. Nǐ ne?

95

李雪：我 住在 学校 外边，花园 小区。
Lǐ Xuě: Wǒ zhù zài xuéxiào wàibian, Huāyuán Xiǎoqū.

友美：你们 小区 在 哪儿？
Yǒuměi: Nǐmen xiǎoqū zài nǎr?

李雪：就 在 学校 西边。
Lǐ Xuě: Jiù zài xuéxiào xībian.

友美：离 学校 远 吗？
Yǒuměi: Lí xuéxiào yuǎn ma?

李雪：不太远，骑 自行车 要 10 分钟，走路 要 半个 小时。
Lǐ Xuě: Bú tài yuǎn, qí zìxíngchē yào shí fēnzhōng, zǒulù yào bàn ge xiǎoshí.

友美：很 近。
Yǒuměi: Hěn jìn.

李雪：对，很 近。
Lǐ Xuě: Duì, hěn jìn.

边学边练　*Practice to learn*

1. Yǒuměi _____ liúxuéshēng sùshè, Lǐ Xuě zhù zài xuéxiào _____.

2. Lǐ Xuě _____ Huāyuán _____.

3. Zhège xiǎoqū _____ xuéxiào _____, qí zìxíngchē yào shí fēnzhōng, zǒulù
   yào _____.

跟我读，学生词（二）　66

New Words II

1.	最近	zuìjìn	*n.*	recently
2.	都	dōu	*adv.*	all
3.	忙	máng	*adj.*	busy
4.	来	lái	*v.*	come
5.	啊	a	*part.*	attached to the end of a sentence to show approval, to indicate admiration, or to urge or enjoin sb.

6.	大	dà	*adj.*	big
7.	漂亮	piàoliang	*adj.*	beautiful
8.	坐	zuò	*v.*	take, travel by, sit
9.	路	lù	*n.*	route
10.	公共汽车	gōnggòng qìchē		bus
11.	下车	xià chē		get off a car or bus

课文（二） 67

Text II

（Li Xue meets Tomomi on campus after school and she's inviting Tomomi to her home.）

李雪： 友美，你最近 怎么样？
Lǐ Xuě： Yǒuměi，nǐ zuìjìn zěnmeyàng?

友美： 我 很 好。
Yǒuměi： Wǒ hěn hǎo.

李雪： 马丁 他们 呢？
Lǐ Xuě： Mǎdīng tāmen ne?

友美： 他们 都 很 好。
Yǒuměi： Tāmen dōu hěn hǎo.

李雪： 你最近 忙 不 忙？
Lǐ Xuě： Nǐ zuìjìn máng bu máng?

友美： 不 太 忙。
Yǒuměi： Bú tài máng.

李雪： 有 时间 来我家玩儿吧。
Lǐ Xuě： Yǒu shíjiān lái wǒ jiā wánr ba.

友美： 好 啊。 你住在 花园 小区，对不对？
Yǒuměi： Hǎo a. Nǐ zhù zài Huāyuán Xiǎoqū，duì bu duì?

李雪： 对。我们 小区很大，也 很 漂亮，离 学校 也 不 远。
Lǐ Xuě： Duì. Wǒmen xiǎoqū hěn dà， yě hěn piàoliang，lí xuéxiào yě bù yuǎn.

友美： 我 怎么 去你 家？
Yǒuměi： Wǒ zěnme qù nǐ jiā?

李雪：　坐　25　路　公共　汽车，在　花园　小区　下车。
Lǐ Xuě：　Zuò èrshíwǔ lù gōnggòng qìchē，zài Huāyuán Xiǎoqū xià chē.

友美：　好　的。我　明天　下午去，怎么样？
Yǒuměi：　Hǎo de. Wǒ míngtiān xiàwǔ qù，zěnmeyàng？

李雪：　太　好　了。
Lǐ Xuě：　Tài hǎo le.

边学边练　*Practice to learn*

1. Yǒuměi zuìjìn _____ .

2. Huāyuán Xiǎoqū _____ , yě hěn _____ .

3. Huāyuán Xiǎoqū lí xuéxiào _____ .

4. Qù Lǐ Xuě jiā zuò èrshíwǔ lù _____ , zài Huāyuán Xiǎoqū _____ .

5. Yǒuměi _____ qù Lǐ Xuě jiā.

功能句
Functional Sentences

【谈论住处】　**Talking about accommodations**

1. 你　住　哪儿？
   Nǐ zhù nǎr？

2. 我　住　在　留学生　宿舍。
   Wǒ zhù zài liúxuéshēng sùshè.

3. 我　住　在　学校　外边，花园　小区。
   Wǒ zhù zài xuéxiào wàibian，Huāyuán Xiǎoqū.

【谈论距离】　**Talking about distance**

1. 小区　离　学校　远　吗？
   Xiǎoqū lí xuéxiào yuǎn ma？

2. 不 太 远。
   Bú tài yuǎn.

3. 车站 离你家远 吗?
   Chēzhàn lí nǐ jiā yuǎn ma?

4. 很 近。
   Hěn jìn.

5. 不 太 远，骑自行车 要 10 分钟，走路要 半 个 小时。
   Bú tài yuǎn, qí zìxíngchē yào shí fēnzhōng, zǒulù yào bàn ge xiǎoshí.

【询问】 **Inquiry**

1. 你 最近 忙 不 忙?
   Nǐ zuìjìn máng bu máng?

2. 你 住在 花园 小区，对不对?
   Nǐ zhù zài Huāyuán Xiǎoqū, duì bu duì?

3. 他 家 离学校 远 不 远?
   Tā jiā lí xuéxiào yuǎn bu yuǎn?

课堂活动与练习
Classroom Activities and Exercises

一、语音练习 *Pronunciation*

Xī'ān　西安 Xi'an, a city in China	Shànghǎi　上海 Shanghai
lóu　楼 building	gōngyù　公寓 apartment
tèbié　特别 special, especially	fēicháng　非常 very, extremely
huǒchē　火车 train	fēijī　飞机 plane

tèbié yuǎn　　　　tèbié hǎochī　　　　tèbié piàoliang

fēicháng máng　　fēicháng gāoxìng　　fēicháng piányi

zuò huǒchē　　　zuò fēijī

二、大声读一读　*Read aloud*

住 zhù	住哪儿 zhù nǎr	住在北京 zhù zài Běijīng	住在宿舍 zhù zài sùshè

住在留学生宿舍 zhù zài liúxuéshēng sùshè	住在学校外边 zhù zài xuéxiào wàibian

坐车 zuò chē	上车 shàng chē	下车 xià chē	骑车 qí chē
走路 zǒulù	走路回家 zǒulù huí jiā	骑自行车 qí zìxíngchē	骑自行车上班 qí zìxíngchē shàngbān

坐公共汽车 zuò gōnggòng qìchē	坐 25 路公共汽车 zuò èrshíwǔ lù gōnggòng qìchē

近 jìn	远 yuǎn	离学校很近 lí xuéxiào hěn jìn	我家离学校很近。 Wǒ jiā lí xuéxiào hěn jìn.

他家离学校不太远。 Tā jiā lí xuéxiào bú tài yuǎn.	他家离学校很远。 Tā jiā lí xuéxiào hěn yuǎn.

忙 máng	忙吗 máng ma	忙不忙 máng bu máng	你最近忙不忙？ Nǐ zuìjìn máng bu máng?

我最近不太忙。 Wǒ zuìjìn bú tài máng.	我们最近都很忙。 Wǒmen zuìjìn dōu hěn máng.

漂亮 piàoliang	漂亮吗 piàoliang ma	漂亮不漂亮 piàoliang bu piàoliang	妹妹很漂亮。 Mèimei hěn piàoliang.

这个小区很漂亮。 Zhège xiǎoqū hěn piàoliang.	这个小区很大，也很漂亮。 Zhège xiǎoqū hěn dà, yě hěn piàoliang.

三、替换词语说句子　*Substitution drills*

1. A：你 现在 住哪儿？
　　 Nǐ xiànzài zhù nǎr?

　 B：我 住在 学生 宿舍。你呢？
　　 Wǒ zhù zài xuéshēng sùshè.　Nǐ ne?

　 A：我 住在 学校 外边。
　　 Wǒ zhù zài xuéxiào wàibian.

朋友家 péngyou jiā	学校宿舍 xuéxiào sùshè
学生公寓 xuéshēng gōngyù	宿舍楼 sùshè lóu
西安 Xī'ān	上海 Shànghǎi

2. A：花园　小区离学校　远　吗?
　　Huāyuán Xiǎoqū lí xuéxiào yuǎn ma?

　B：不　远，骑自行车　要 10 分钟。
　　Bù yuǎn, qí zìxíngchē yào shí fēnzhōng.

学生公寓	教室	走路
xuéshēng gōngyù	jiàoshì	zǒulù
地铁站	车站	走路
dìtiězhàn	chēzhàn	zǒulù
你家	学校	坐公共汽车
nǐ jiā	xuéxiào	zuò gōnggòng qìchē

3. A：这个　小区　大不大?
　　Zhège xiǎoqū dà bu dà?

　B：这个　小区　特别大。
　　Zhège xiǎoqū tèbié dà.

好不好	非常好
hǎo bu hǎo	fēicháng hǎo
远不远	不太远
yuǎn bu yuǎn	bú tài yuǎn
漂亮不漂亮	很漂亮
piàoliang bu piàoliang	hěn piàoliang

4. 有　时间来我家玩儿吧。
　　Yǒu shíjiān lái wǒ jiā wánr ba.

来	上海
lái	Shànghǎi
去	西安
qù	Xī'ān
去	公园
qù	gōngyuán

5. A：你 怎么 去 他家?
   　　Nǐ zěnme qù tā jiā?

   B：我 坐 25 路 公共 汽车 去。
   　　Wǒ zuò èrshíwǔ lù gōnggòng qìchē qù.

学校 xuéxiào	骑自行车 qí zìxíngchē
学生公寓 xuéshēng gōngyù	走路 zǒulù
朋友家 péngyou jiā	坐地铁 zuò dìtiě
西安 Xī'ān	坐火车 zuò huǒchē
上海 Shànghǎi	坐飞机 zuò fēijī

6. 你 住 在 花园 小区，对不对?
   Nǐ zhù zài Huāyuán Xiǎoqū, duì bu duì?

学生公寓很大 xuéshēng gōngyù hěn dà
你骑自行车去 nǐ qí zìxíngchē qù
我们8点上课 wǒmen bā diǎn shàngkè

四、练一练：完成对话　*Complete the following dialogues*

1. A：＿＿＿＿＿＿＿＿＿＿?

   B：我 住 在 学生 宿舍。
   　　Wǒ zhù zài xuéshēng sùshè.

2. A：＿＿＿＿＿＿＿＿＿＿?

   B：他 现在 住在学校 外边。
   　　Tā xiànzài zhù zài xuéxiào wàibian.

3. A：＿＿＿＿＿＿＿＿＿＿?

   B：在 这个 小区 对面。
   　　Zài zhège xiǎoqū duìmiàn.

4. A：_____?

   B：离 我 家 非常 远。

   Lí wǒ jiā fēicháng yuǎn.

5. A：_____?

   B：最近 特别 忙。

   Zuìjìn tèbié máng.

6. A：你 住 在 学校 外边，对不对?

   Nǐ zhù zài xuéxiào wàibian, duì bu duì?

   B：_____。

7. A：你 怎么 去 学校?

   Nǐ zěnme qù xuéxiào?

   B：_____。

8. A：_____?

   B：太 好 了。

   Tài hǎo le.

五、小组活动 *Group work*

1. 看图说一说　Look at the diagram and talk about it.

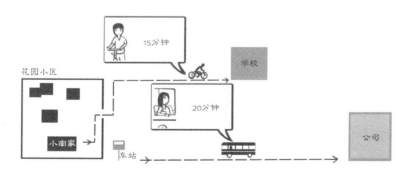

任务：互相问一问、说一说图中的人物和他们的情况，如小南住在哪儿、离学校远不

远、他怎么去学校、他姐姐怎么去公司、用多长时间、小区怎么样，等等。

Task: Ask and answer questions about the diagram, e.g.:

Where does Xiaonan live?

Is it far from the school?

How does he/his sister go to school/work? How long does it take?

How is the neighbourhood?

2. 画图说一说　Draw a picture and talk about it.

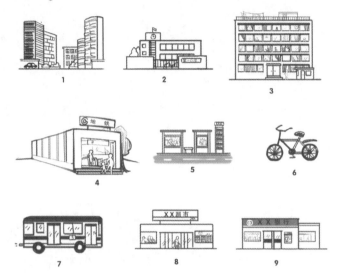

任务一：画图或用标号设计一张你认为最方便、最理想的社区图。

Task 1: Design your ideal residential area you think the most convenient. You can use numbers or draw a map.

任务二：互相问一问、说一说自己设计的图。

Task 2: Ask and answer questions about your map.

六、复习与表达　*Review and presentation*

1. 双人练习：回答问题　Pair work: Ask and answer the following questions.

（1）你 最近 忙 不 忙？

　　Nǐ zuìjìn máng bu máng?

（2）你 住在 学校 外边，对不对？

　　Nǐ zhù zài xuéxiào wàibian, duì bu duì?

（3）你 现在 住在 哪儿？

　　Nǐ xiànzài zhù zài nǎr?

（4）你家离学校 远 不 远？

Nǐ jiā lí xuéxiào yuǎn bu yuǎn?

（5）你 怎么 去 学校？要 多 长 时间？

Nǐ zěnme qù xuéxiào? Yào duō cháng shíjiān?

（6）我们 怎么去你家？

Wǒmen zěnme qù nǐ jiā?

（7）那个 小区 大不大？

Nàge xiǎoqū dà bu dà?

（8）你们 学校 漂亮 不 漂亮？

Nǐmen xuéxiào piàoliang bu piàoliang?

（9）学生 公寓 在哪儿？

Xuéshēng gōngyù zài nǎr?

（10）学生 宿舍离教室 远 不 远？

Xuéshēng sùshè lí jiàoshì yuǎn bu yuǎn?

（11）住 在 学生 宿舍 好不 好？

Zhù zài xuéshēng sùshè hǎo bu hǎo?

2. 课堂展示：语段表达 Presentation

介绍自己的住处并邀请朋友去你家。

Say a few sentences about where you live with the given words and expressions and invite your friends to visit your home.

| 参考词语和句式 |

| 住在…… | 离 | 远 | 近 | 分钟 |
| zhù zài …… | lí | yuǎn | jìn | fēnzhōng |

| 小时 | 走路 | 骑自行车 | 坐公共汽车 |
| xiǎoshí | zǒulù | qí zìxíngchē | zuò gōnggòng qìchē |

| 非常 | 特别 | 漂亮 | A 不 A | ……吧 |
| fēicháng | tèbié | piàoliang | A bu A | ……ba |

挑战自我
Challenge Yourself

交际任务　*Communication task*

小调查：了解一下你的老师、同学住在学校里边还是外边，他们怎么来上课，路上用多长时间。

Survey: Ask your teachers and classmates about where they live, how they come to school and how long it takes.

老师 / 同学 lǎoshī / tóngxué					
学校里边 xuéxiào lǐbian					
学校外边 xuéxiào wàibian					
走路 / 时间 zǒulù / shíjiān					
骑自行车 / 时间 qí zìxíngchē / shíjiān					
坐公共汽车 / 时间 zuò gōnggòng qìchē / shíjiān					
坐地铁 / 时间 zuò dìtiě / shíjiān					

这些话，我能脱口而出

12 我在北京学习汉语
I study Chinese in Beijing

跟我读，学生词（一）　69

New Words I

1.	~总	~ zǒng	Mr. ..., general manager (*used after a surname as a short title for general manager*)
2.	同事	tóngshì	*n.* colleague
3.	吧	ba	*part.* used at the end of a question, suggestion, request, command and agreement
4.	广告	guǎnggào	*n.* advertisement
5.	工作	gōngzuò	*v.* work
6.	名片	míngpiàn	*n.* name card, business card
7.	电话	diànhuà	*n.* telephone, phone call
8.	房间	fángjiān	*n.* room
9.	手机	shǒujī	*n.* mobile phone
10.	号码（号）	hàomǎ (hào)	*n.* number

专有名词　Proper Noun

北京　　Běijīng　　Beijing

课文（一）　70

Text I

（Dae-Jung meets Martin at a party.）

朴大中：我 是 张 总 的 朋友。我 叫
Piáo Dàzhōng: Wǒ shì Zhāng zǒng de péngyou. Wǒ jiào

朴 大中。
Piáo Dàzhōng.

马丁： 我 也 是 他 的 朋友。我 叫 马丁。
Mǎdīng: Wǒ yě shì tā de péngyou. Wǒ jiào Mǎdīng.

朴大中： 你 是 他 的 同事 吧？
Piáo Dàzhōng: Nǐ shì tā de tóngshì ba?

马丁： 不 是，我 是 留学生，在 北京 学习 汉语。你 呢？
Mǎdīng: Bú shì, wǒ shì liúxuéshēng, zài Běijīng xuéxí Hànyǔ. Nǐ ne?

朴大中： 我 在 广告 公司 工作。这 是 我 的 名片。
Piáo Dàzhōng: Wǒ zài guǎnggào gōngsī gōngzuò. Zhè shì wǒ de míngpiàn.

马丁： 谢谢。对不起，我 没有 名片。
Mǎdīng: Xièxie. Duìbuqǐ, wǒ méiyǒu míngpiàn.

朴大中： 你 的 电话 是 多少？
Piáo Dàzhōng: Nǐ de diànhuà shì duōshao?

马丁： 我 房间 的 电话 是　　　　62511301，　　我 的 手机 号码 是
Mǎdīng: Wǒ fángjiān de diànhuà shì liù èr wǔ yī yī sān líng yī, wǒ de shǒujī hàomǎ shì

13521197633。
yī sān wǔ èr yī yī jiǔ qī liù sān sān.

边学边练 *Practice to learn*

1. Tāmen dōu shì Zhāng zǒng de _____.

2. Piáo Dàzhōng zài _____ gōngzuò.

3. Mǎdīng shì _____, tā zài Běijīng _____.

4. Liù èr wǔ yī yī sān líng yī shì Mǎdīng fángjiān de _____, tā de _____
___ hàomǎ shì yī sān wǔ èr yī yī jiǔ qī liù sān sān.

跟我读，学生词（二） 71

New Words II

1.	喜欢	xǐhuan	*v.*	like
2.	电视	diànshì	*n.*	television
3.	多	duō	*adj.*	many, much, a lot of

4.	节目	jiémù	*n.*	programme
5.	从……到……	cóng……dào……		from…to…
6.	对	duì	*prep.*	to, with regard to
7.	最	zuì	*adv.*	most, least
8.	感兴趣	gǎn xìngqù		be interested in
	兴趣	xìngqù	*n.*	interest
9.	为什么	wèi shénme		why
10.	可以	kěyǐ	*aux.*	may

课文（二） 72

Text II

（Tomomi and Martin are talking about watching TV. ）

马丁： 你 喜欢 看 电视 吗？
Mǎdīng: Nǐ xǐhuan kàn diànshì ma?

友美： 我 不 喜欢 看 电视， 广告 太 多 了。
Yǒuměi: Wǒ bù xǐhuan kàn diànshì, guǎnggào tài duō le.

马丁： 广告 多 吗？
Mǎdīng: Guǎnggào duō ma?

友美： 非常 多， 每个 节目 前边 都 有 很 多 广告。
Yǒuměi: Fēicháng duō, měi ge jiémù qiánbian dōu yǒu hěn duō guǎnggào.

马丁： 我 特别喜欢 广告，我 每天 晚上 从 8 点 到 12 点 都 看 电
Mǎdīng: Wǒ tèbié xǐhuan guǎnggào, wǒ měi tiān wǎnshang cóng bā diǎn dào shí'èr diǎn dōu kàn diàn-

视， 对 广告 最 感 兴趣。
shì, duì guǎnggào zuì gǎn xìngqù.

友美： 你 为 什么 喜欢 看 广告？
Yǒuměi: Nǐ wèi shénme xǐhuan kàn guǎnggào?

马丁： 看 广告 可以 学习 汉语。
Mǎdīng: Kàn guǎnggào kěyǐ xuéxí Hànyǔ.

边学边练 *Practice to learn*

1. Diànshì guǎnggào tài ＿＿＿＿ le, Yǒuměi ＿＿＿＿ kàn diànshì.

2. Mǎdīng xǐhuan ＿＿＿＿, tā tèbié xǐhuan ＿＿＿＿, tā duì guǎnggào ＿＿＿＿

gǎn xìngqù.

3. Kàn guǎnggào ＿＿＿＿ xuéxí Hànyǔ.

功能句
Functional Sentences

【叙述】 **Narration**

1. 我 在 北京 学习 汉语。
Wǒ zài Běijīng xuéxí Hànyǔ.

2. 他在 广告 公司 工作。
Tā zài guǎnggào gōngsī gōngzuò.

3. 我们 在家里看 电视。
Wǒmen zài jiāli kàn diànshì.

【谈论兴趣爱好】 **Talking about interest**

1. 你喜欢 看 电视 吗?
Nǐ xǐhuan kàn diànshì ma?

2. 他很 喜欢 运动。
Tā hěn xǐhuan yùndòng.

3. 我 特别喜欢 看 广告。
Wǒ tèbié xǐhuan kàn guǎnggào.

4. 我 对 电影 最 感 兴趣。
Wǒ duì diànyǐng zuì gǎn xìngqù.

5. 他不 喜欢 骑自行车。
Tā bù xǐhuan qí zìxíngchē.

【猜测】 Making a guess

1. 你是 韩国 人吧?
   Nǐ shì Hánguó rén ba?

2. 你是他的 同事 吧?
   Nǐ shì tā de tóngshì ba?

3. 你们 在 北京 学习 汉语 吧?
   Nǐmen zài Běijīng xuéxí Hànyǔ ba?

4. 你也 喜欢 看 这个 电影 吧?
   Nǐ yě xǐhuan kàn zhège diànyǐng ba?

课堂活动与练习
Classroom Activities and Exercises

一、语音练习　*Pronunciation*　

guàng 逛 stroll	shāngdiàn 商店 shop	zuò 做 do, make
shàngwǎng 上网 surf the internet		lǚyóu 旅游 travel; tourism
lǚguǎn 旅馆 inn, hostel	fàndiàn 饭店 hotel	yīfu 衣服 clothes

guàng gōngyuán　　　qù shāngdiàn　　　māma zuò fàn

Wǒ xǐhuan shàngwǎng.　Tā xǐhuan lǚyóu.　Wǒ zhù zài lǚguǎn.

Zhè shì Běijīng Fàndiàn.　Wǒmen dōu xǐhuan piàoliang yīfu.

二、大声读一读　*Read aloud*

在 zài	在北京 zài Běijīng	在公司 zài gōngsī	在北京学习 zài Běijīng xuéxí
在公司工作 zài gōngsī gōngzuò		我在广告公司工作。 Wǒ zài guǎnggào gōngsī gōngzuò.	
号码 hàomǎ	电话号码 diànhuà hàomǎ	房间号码 fángjiān hàomǎ	这是我的手机号码。 Zhè shì wǒ de shǒujī hàomǎ.

电话号码是多少 diànhuà hàomǎ shì duōshao		我的电话号码是 82509513。 Wǒ de diànhuà hàomǎ shì bā èr wǔ líng jiǔ wǔ yī sān.	
喜欢 xǐhuan	不喜欢 bù xǐhuan	很喜欢 hěn xǐhuan	非常喜欢 fēicháng xǐhuan
特别喜欢上网 tèbié xǐhuan shàngwǎng		最喜欢旅游 zuì xǐhuan lǚyóu	
喜欢书 xǐhuan shū	喜欢运动 xǐhuan yùndòng	喜欢看电影 xǐhuan kàn diànyǐng	喜欢看中国电影 xǐhuan kàn Zhōngguó diànyǐng
感兴趣 gǎn xìngqù	对汉语感兴趣 duì Hànyǔ gǎn xìngqù	我对汉语很感兴趣。 Wǒ duì Hànyǔ hěn gǎn xìngqù.	
我们都对汉语感兴趣。 Wǒmen dōu duì Hànyǔ gǎn xìngqù.		他对汉语最感兴趣。 Tā duì Hànyǔ zuì gǎn xìngqù.	
都 dōu	都学习 dōu xuéxí	每天都学习 měi tiān dōu xuéxí	每个人都学习。 Měi ge rén dōu xuéxí.
我们都对他的电影有兴趣。 Wǒmen dōu duì tā de diànyǐng yǒu xìngqù.		我们都对他的电影感兴趣。 Wǒmen dōu duì tā de diànyǐng gǎn xìngqù.	
从……到…… cóng……dào……	从 8 点到 10 点 cóng bā diǎn dào shí diǎn	从上午到下午 cóng shàngwǔ dào xiàwǔ	从早上 8 点到晚上 8 点 cóng zǎoshang bā diǎn dào wǎnshang bā diǎn
从宿舍到教室 cóng sùshè dào jiàoshì		从北京到上海 cóng Běijīng dào Shànghǎi	
为什么 wèi shénme	为什么喜欢 wèi shénme xǐhuan	为什么学习汉语 wèi shénme xuéxí Hànyǔ	为什么在北京学习汉语 wèi shénme zài Běijīng xuéxí Hànyǔ
为什么对汉语感兴趣 wèi shénme duì Hànyǔ gǎn xìngqù		为什么叫这个名字 wèi shénme jiào zhège míngzi	

三、替换词语说句子　*Substitution drills*

1. A：你在哪儿工作？

Nǐ zài nǎr gōngzuò?

B：我在 北京 工作。

Wǒ zài Běijīng gōngzuò.

银行	yínháng
学校	xuéxiào
广告公司	guǎnggào gōngsī
旅游公司	lǚyóu gōngsī

2. 我在 上海 学习汉语。

Wǒ zài Shànghǎi xuéxí Hànyǔ.

超市	chāoshì	买东西	mǎi dōngxi
房间	fángjiān	看电视	kàn diànshì
家里	jiāli	上网	shàngwǎng

3. A：你 住在哪儿？

Nǐ zhù zài nǎr?

B：我 住在 学生 宿舍。

Wǒ zhù zài xuéshēng sùshè.

花园旅馆	Huāyuán Lǚguǎn
留学生公寓	liúxuéshēng gōngyù
朋友家	péngyou jiā
北京饭店	Běijīng Fàndiàn

4. A：你的 房间 号码是 多少？

Nǐ de fángjiān hàomǎ shì duōshao?

B：我的 房间 号码是

Wǒ de fángjiān hàomǎ shì

303。

sān líng sān.

房间 fángjiān	209 èr líng jiǔ
电话 diànhuà	62515329 liù èr wǔ yī wǔ sān èr jiǔ
手机 shǒujī	18610149227 yī bā liù yī líng yī sì jiǔ èr èr qī

5. A：你喜欢 什么？
   Nǐ xǐhuan shénme?

   B：我喜欢 面包。
   Wǒ xǐhuan miànbāo.

手机 shǒujī
你的房间 nǐ de fángjiān
漂亮的公园 piàoliang de gōngyuán
漂亮衣服 piàoliang yīfu

6. A：你们 喜欢 做 什么？
   Nǐmen xǐhuan zuò shénme?

   B：我们 喜欢 看 电影。
   Wǒmen xǐhuan kàn diànyǐng.

上网 shàngwǎng
逛商店 guàng shāngdiàn
在家里看电视 zài jiāli kàn diànshì

7. A：你 对 什么 最 感 兴趣？
   Nǐ duì shénme zuì gǎn xìngqù?

   B：我 对 广告 最感 兴趣。
   Wǒ duì guǎnggào zuì gǎn xìngqù.

旅游 lǚyóu
这个节目 zhège jiémù
学习汉语 xuéxí Hànyǔ

8. A：你每天 上午 做 什么？
   Nǐ měi tiān shàngwǔ zuò shénme?

   B：我 每 天 上午 从 8 点 到 11 点 半 都 上课。
   Wǒ měi tiān shàngwǔ cóng bā diǎn dào shíyī diǎn bàn dōu shàngkè.

从9点到11点	去图书馆
cóng jiǔ diǎn dào shíyī diǎn	qù túshūguǎn
从9点到12点	在公司上班
cóng jiǔ diǎn dào shí'èr diǎn	zài gōngsī shàngbān
从8点到11点	在学校学习汉语
cóng bā diǎn dào shíyī diǎn	zài xuéxiào xuéxí Hànyǔ

四、练一练：完成对话 *Complete the following dialogues*

1. A：_____?

   B：我 在 上海 学习。

   　　Wǒ zài Shànghǎi xuéxí.

2. A：_____?

   B：他在 广告 公司 工作。

   　　Tā zài guǎnggào gōngsī gōngzuò.

3. A：_____?

   B：对，他是我的 同事。

   　　Duì, tā shì wǒ de tóngshì.

4. A：_____?

   B：不是，这是我哥哥的 名片。

   　　Bú shì, zhè shì wǒ gēge de míngpiàn.

5. A：_____?

   B：62515343。

   　　Liù èr wǔ yī wǔ sān sì sān.

6. A：_____?

   B：13609047876。

   　　Yī sān liù líng jiǔ líng sì qī bā qī liù.

7. A：_____？

B：对，这是 我们 公司 的 电话 号码。

Duì, zhè shì wǒmen gōngsī de diànhuà hàomǎ.

8. A：_____？

B：我 喜欢　上网。

Wǒ xǐhuan shàngwǎng.

9. A：你 对 什么 最 感 兴趣？

Nǐ duì shénme zuì gǎn xìngqù?

B：_____。

10. A：你 每天 什么 时候 有课？

Nǐ měi tiān shénme shíhou yǒu kè?

B：_____。

11. A：他 为 什么 来 中国？

Tā wèi shénme lái Zhōngguó?

B：_____。

12. A：你 为 什么 不喜欢 看 电视？

Nǐ wèi shénme bù xǐhuan kàn diànshì?

B：_____。

五、小组活动　*Group work*

1. 看图说一说　Look at the pictures and talk about them.

Ⓐ

李　文

XX广告公司

住址：花园公寓1206房间

电话：62513625　　手机：13835295786

Ⓑ

住址：

电话：　　　手机：

任务一：互相问一问、说一说名片 A 中的信息。

Task 1: Ask and answer questions about the information on Business Card A.

任务二：根据个人情况填写名片 B，并互相问一问、说一说。

Task 2: Provide your own information on Business Card B and talk about it in your group.

2. 看表说一说　Look at the table and talk about it.

俱乐部活动安排　Timetable of Club Events						
	看电视 kàn diànshì	看电影 kàn diànyǐng	学习汉语 xuéxí Hànyǔ	骑自行车 qí zìxíngchē	逛商店 guàng shāngdiàn	吃中国菜 chī Zhōng- guó cài
13:00—14:30		☆	☆		☆	☆
15:00—16:30				☆	☆	
19:00—21:00	☆		☆			☆

任务一：说一说俱乐部都有什么活动安排及活动时间。

Task 1: Talk about the schedule of the activities of the club.

任务二：互相问一问、说一说对哪个活动感兴趣。

Task 2: Ask each other questions about which of the activities above interests you.

六、复习与表达　*Review and presentation*

1. 双人练习：回答问题　Pair work: Ask and answer the following questions.

（1）他 是 你 的 同学 吗？

　　Tā shì nǐ de tóngxué ma?

（2）你 是 张 老师 的 同事 吧？

　　Nǐ shì Zhāng lǎoshī de tóngshì ba?

（3）他 在 哪儿 工作？

　　Tā zài nǎr gōngzuò?

（4）你 在 什么 地方 学习？

　　Nǐ zài shénme dìfang xuéxí?

（5）你有 名片 吗？
Nǐ yǒu míngpiàn ma?

（6）你家 的 电话 是 多少？
Nǐ jiā de diànhuà shì duōshao?

（7）你的手机 号码 是 多少？
Nǐ de shǒujī hàomǎ shì duōshao?

（8）你的 朋友 喜欢 什么？
Nǐ de péngyou xǐhuan shénme?

（9）你对 什么 感兴趣？
Nǐ duì shénme gǎn xìngqù?

（10）你每 天 上午 做 什么？ 晚上 呢？
Nǐ měi tiān shàngwǔ zuò shénme? Wǎnshang ne?

（11）你为 什么 来北京？
Nǐ wèi shénme lái Běijīng?

2. 课堂展示：语段表达　Presentation

介绍你自己的个人信息和兴趣爱好。

Say a few sentences about your personal information and your interest with the given words and sentence patterns.

参考词语和句式

名片	在……＋v.	住在……	号码
míngpiàn	zài ……＋v.	zhù zài ……	hàomǎ

对……感兴趣	喜欢	特别	最	可以
duì……gǎn xìngqù	xǐhuan	tèbié	zuì	kěyǐ

挑战自我
Challenge Yourself

交际任务　*Communication task*

了解一下你的老师、同学的联系方式和他们的兴趣爱好。

Ask your teachers and classmates about their contact information, interests and hobbies.

老师/同学 lǎoshī / tóngxué	电话/手机 diànhuà / shǒujī	住址 zhùzhǐ	喜欢 xǐhuan	最喜欢 zuì xǐhuan	为什么 wèi shénme

这些话，我能脱口而出

13 你喜欢中餐还是西餐

Do you like Chinese food or Western food

New Words I

1.	中餐	zhōngcān	*n.*	Chinese food
2.	还是	háishi	*conj.*	or
3.	西餐	xīcān	*n.*	Western food
4.	当然	dāngrán	*adv.*	certainly, of course
5.	中午	zhōngwǔ	*n.*	noon
6.	饭馆	fànguǎn	*n.*	restaurant
7.	过	guo	*part.*	*used after a verb to indicate a past action or state*
8.	那儿	nàr	*pron.*	there
9.	没（有）	méi (yǒu)	*adv.*	have not, not yet
10.	大家	dàjiā	*pron.*	all, everybody
11.	说	shuō	*v.*	say, speak, talk
12.	又……又……	yòu……yòu……		both…and…

课文（一） 75

Text I

（Tomomi and Martin are talking about their class get-together.）

友美： 你 喜欢 中餐 还是西餐？
Yǒuměi: Nǐ xǐhuan zhōngcān háishi xīcān?

马丁： 中餐、 西餐我 都 喜欢。
Mǎdīng: Zhōngcān、xīcān wǒ dōu xǐhuan.

友美： 明天 咱们 班一起吃饭，我们 吃 中餐 还是 吃西餐？
Yǒuměi: Míngtiān zánmen bān yìqǐ chī fàn，wǒmen chī zhōngcān háishi chī xīcān?

121

马丁：　在　中国，　当然　吃　中餐。
Mǎdīng:　Zài Zhōngguó, dāngrán chī zhōngcān.

友美：　好　的。咱们　中午　去还是　晚上　去？
Yǒuměi:　Hǎo de. Zánmen zhōngwǔ qù háishi wǎnshang qù?

马丁：　中午　去吧。
Mǎdīng:　Zhōngwǔ qù ba.

友美：　咱们　去哪儿啊？
Yǒuměi:　Zánmen qù nǎr a?

马丁：　学校　旁边　有个　饭馆，你去过　那儿吗？
Mǎdīng:　Xuéxiào pángbiān yǒu ge fànguǎn, nǐ qùguo nàr ma?

友美：　没　去过。那个饭馆　怎么样？
Yǒuměi:　Méi qùguo. Nàge fànguǎn zěnmeyàng?

马丁：　大家都　说　又便宜又　好吃。
Mǎdīng:　Dàjiā dōu shuō yòu piányi yòu hǎochī.

友美：　就去那儿吧。
Yǒuměi:　Jiù qù nàr ba.

边学边练 *Practice to learn*

1. Mǎdīng xǐhuan _____, yě xǐhuan _____.

2. Tāmen bān _____ yìqǐ chī fàn, tāmen chī _____.

3. Tāmen qù xuéxiào pángbiān de _____.

4. Nàge fànguǎn _____, yě _____.

跟我读，学生词（二）　76

New Words II

1.	打	dǎ	*v.*	play (ball)
2.	网球	wǎngqiú	*n.*	tennis, tennis ball
3.	足球	zúqiú	*n.*	football, soccer
4.	游泳	yóuyǒng	*v.*	swim

5.	踢	tī	*v.*	play (football), kick
6.	爱好	àihào	*n.*	hobby
7.	汉字	Hànzì	*n.*	Chinese character
8.	中国画	zhōngguóhuà	*n.*	traditional Chinese painting
9.	去年	qùnián	*n.*	last year
10.	可是	kěshì	*conj.*	but
11.	旅行	lǚxíng	*v.*	travel

课文（二） 77

Text II

（Jimmy and Martin are talking about their hobbies.）

马丁：你 喜欢 打 网球 吗？
Mǎdīng： Nǐ xǐhuan dǎ wǎngqiú ma?

吉米：我 对 网球 没 兴趣，我 喜欢 足球 和 游泳。你 也 喜欢 足球 吧？
Jímǐ： Wǒ duì wǎngqiú méi xìngqù, wǒ xǐhuan zúqiú hé yóuyǒng. Nǐ yě xǐhuan zúqiú ba?

马丁：当然 喜欢。
Mǎdīng： Dāngrán xǐhuan.

吉米：你 喜欢 看 还是 喜欢 踢？
Jímǐ： Nǐ xǐhuan kàn háishi xǐhuan tī?

马丁：都 喜欢，喜欢 看，也 喜欢 踢。
Mǎdīng： Dōu xǐhuan, xǐhuan kàn, yě xǐhuan tī.

吉米：太 好 了，我们 可以 一起 踢 足球。
Jímǐ： Tài hǎo le, wǒmen kěyǐ yìqǐ tī zúqiú.

马丁：好啊。你 还有 什么 爱好？
Mǎdīng： Hǎo a. Nǐ hái yǒu shénme àihào?

吉米：我 还 喜欢 汉字 和 中国画。你 呢？
Jímǐ： Wǒ hái xǐhuan Hànzì hé zhōngguóhuà. Nǐ ne?

马丁：去年 我 学过 中国画，我 对 中国画 也 很 感兴趣，可是 我
Mǎdīng： Qùnián wǒ xuéguo zhōngguóhuà, wǒ duì zhōngguóhuà yě hěn gǎn xìngqù, kěshì wǒ

最 喜欢 旅行。
zuì xǐhuan lǚxíng.

边学边练 *Practice to learn*

1. Jímǐ bù xǐhuan _____, tā zúqiú hé yóuyǒng dōu _____.

2. Jímǐ hái xǐhuan _____ hé _____.

3. Mǎdīng duì _____ yǒu xìngqù, tā _____ xuéguo zhōngguóhuà.

4. Mǎdīng duì zúqiú、zhōngguóhuà hé _____ dōu gǎn xìngqù.

功能句
Functional Sentences

【询问】 **Inquiry**

1. 你 喜欢 中餐 还是 西餐?
   Nǐ xǐhuan zhōngcān háishi xīcān?

2. 你去 还是 他去?
   Nǐ qù háishi tā qù?

3. 喜欢 看还是 喜欢踢?
   Xǐhuan kàn háishi xǐhuan tī?

【谈论经历】 **Talking about experiences**

1. 我 学过 中国画。
   Wǒ xuéguo zhōngguóhuà.

2. 他 看过 这个 电影。
   Tā kànguo zhège diànyǐng.

3. 我们 去过 那个 饭馆。
   Wǒmen qùguo nàge fànguǎn.

4. 我 没 吃过 中餐。
   Wǒ méi chīguo zhōngcān.

课堂活动与练习
Classroom Activities and Exercises

一、语音练习 *Pronunciation*

lánqiú 篮球 basketball	pīngpāngqiú 乒乓球 pingpong	bàngqiú 棒球 baseball
shūfǎ 书法 calligraphy	xīyī 西医 Western medicine	hē 喝 drink
chá 茶 tea	kāfēi 咖啡 coffee	

dǎ lánqiú　　dǎ pīngpāngqiú　　dǎ bàngqiú　　xuéxí shūfǎ

kàn xīyī　　xǐhuan hē chá　　xǐhuan hē kāfēi　　xǐhuan hē chá, yě xǐhuan hē kāfēi

二、大声读一读 *Read aloud*

中餐 zhōngcān	西餐 xīcān	吃中餐 chī zhōngcān	吃西餐 chī xīcān
还是 háishi	中午还是晚上 zhōngwǔ háishi wǎnshang	我买还是你买? Wǒ mǎi háishi nǐ mǎi?	在北京还是在上海 zài Běijīng háishi zài Shànghǎi
喜欢足球还是篮球 xǐhuan zúqiú háishi lánqiú		走路还是骑自行车 zǒulù háishi qí zìxíngchē	
打 dǎ	打球 dǎ qiú	打网球 dǎ wǎngqiú	打篮球 dǎ lánqiú
喜欢打棒球 xǐhuan dǎ bàngqiú		最喜欢打乒乓球 zuì xǐhuan dǎ pīngpāngqiú	
踢 tī	踢球 tī qiú	踢足球 tī zúqiú	他每天踢足球。 Tā měi tiān tī zúqiú.
打篮球还是踢足球 dǎ lánqiú háishi tī zúqiú		他喜欢打篮球还是喜欢踢足球? Tā xǐhuan dǎ lánqiú háishi xǐhuan tī zúqiú?	
过 guo	看过 kànguo	没看过 méi kànguo	我说过吗? Wǒ shuōguo ma?
你看过中国电影吗? Nǐ kànguo Zhōngguó diànyǐng ma?		我去年看过一个中国电影。 Wǒ qùnián kànguo yí ge Zhōngguó diànyǐng.	
又……又…… yòu……yòu ……	又便宜又好吃 yòu piányi yòu hǎochī	又贵又不好吃 yòu guì yòu bù hǎochī	又大又漂亮 yòu dà yòu piàoliang

又游泳又打网球	又学习中国画又学习书法
yòu yóuyǒng yòu dǎ wǎngqiú	yòu xuéxí zhōngguóhuà yòu xuéxí shūfǎ

爱好	什么爱好	有什么爱好	爱好很多
àihào	shénme àihào	yǒu shénme àihào	àihào hěn duō

我的爱好是游泳。	我的爱好是打乒乓球。
Wǒ de àihào shì yóuyǒng.	Wǒ de àihào shì dǎ pīngpāngqiú.

三、替换词语说句子　*Substitution drills*

1. A：你吃　中餐　还是 吃西餐？

　　　Nǐ chī zhōngcān háishi chī xīcān?

　B：我 吃　中餐。

　　　Wǒ chī zhōngcān.

学习	工作
xuéxí	gōngzuò
打网球	打篮球
dǎ wǎngqiú	dǎ lánqiú
住在学校	住在外边
zhù zài xuéxiào	zhù zài wàibian
学习中医	学习西医
xuéxí zhōngyī	xuéxí xīyī

2. A：你喜欢 看　电视 吗？

　　　Nǐ xǐhuan kàn diànshì ma?

　B：我 对 看　电视 没 兴趣，我 喜欢 看　电影。

　　　Wǒ duì kàn diànshì méi xìngqù, wǒ xǐhuan kàn diànyǐng.

踢足球	打棒球
tī zúqiú	dǎ bàngqiú
逛商店	运动
guàng shāngdiàn	yùndòng
学法律	学中医
xué fǎlǜ	xué zhōngyī

3. A：你 去过 西安 吗？
   Nǐ qùguo Xī'ān ma?

   B：（我）去过。
   (Wǒ) qùguo.

吃	中餐
chī	zhōngcān
看	中医
kàn	zhōngyī
打	棒球
dǎ	bàngqiú

4. A：你喜欢 西安 还是 北京？
   Nǐ xǐhuan Xī'ān háishi Běijīng?

   B：我 都 喜欢。
   Wǒ dōu xǐhuan.

中餐	西餐
zhōngcān	xīcān
中医	西医
zhōngyī	xīyī
棒球	足球
bàngqiú	zúqiú
喝茶	喝咖啡
hē chá	hē kāfēi

5. A：他有 什么 爱好？
   Tā yǒu shénme àihào?

   B：他 喜欢 打球，还 喜欢 旅行。
   Tā xǐhuan dǎ qiú, hái xǐhuan lǚxíng.

书法	中国画
shūfǎ	zhōngguóhuà
游泳	打篮球
yóuyǒng	dǎ lánqiú
看电影	逛商店
kàn diànyǐng	guàng shāngdiàn

6. A：咱们 中午 去还是 晚上 去？
   Zánmen zhōngwǔ qù háishi wǎnshang qù?

   B：中午 去吧，晚上 人太 多了。
   Zhōngwǔ qù ba, wǎnshang rén tài duō le.

走路去 zǒulù qù	坐公共汽车去 zuò gōnggòng qìchē qù	坐公共汽车人太多了 zuò gōnggòng qìchē rén tài duō le
买梨 mǎi lí	买葡萄 mǎi pútao	买葡萄太贵了 mǎi pútao tài guì le
去西安 qù Xī'ān	去上海 qù Shànghǎi	去上海太远了 qù Shànghǎi tài yuǎn le

7. A：那个 饭馆 怎么样?
　　Nàge fànguǎn zěnmeyàng?

　　B：大家 都 说 好。
　　Dàjiā dōu shuō hǎo.

电影 diànyǐng	很喜欢 hěn xǐhuan
公园 gōngyuán	非常漂亮 fēicháng piàoliang
电视节目 diànshì jiémù	广告太多了 guǎnggào tài duō le

四、练一练：完成对话　*Complete the following dialogues*

1. A：＿＿＿＿＿＿＿＿＿＿＿＿?

　　B：中餐、 西餐我 都 喜欢。
　　Zhōngcān、xīcān wǒ dōu xǐhuan.

2. A：＿＿＿＿＿＿＿＿＿＿＿＿?

　　B：我 的 爱好 是 旅行。
　　Wǒ de àihào shì lǚxíng.

3. A：＿＿＿＿＿＿＿＿＿＿＿＿?

　　B：我 去过，那儿 很 漂亮。
　　Wǒ qùguo， nàr hěn piàoliang.

4. A：＿＿＿＿＿＿＿＿＿＿＿＿?

　　B：我们 骑 自行车去 吧。
　　Wǒmen qí zìxíngchē qù ba.

5. A：_____？

　B：对，我 最 喜欢 踢足球。
　　　Duì, wǒ zuì xǐhuan tī zúqiú.

6. A：学校 里边 的 饭馆 怎么样？
　　　Xuéxiào lǐbian de fànguǎn zěnmeyàng?

　B：_____。

7. A：_____？

　B：很 漂亮，可是 太 远 了。
　　　Hěn piàoliang, kěshì tài yuǎn le.

8. A：你 看过 中医 吗？
　　　Nǐ kànguo zhōngyī ma?

　B：_____。

五、小组活动　*Group work*

1. 看图说一说　Look at the pictures and talk about them.

任务：互相问一问、说一说图中都有什么运动，你们喜欢什么运动。

Task: Ask and answer questions about what sports there are in the pictures and what sports you like.

2. 填表说一说 Fill in the table and talk about it.

为你们班安排一次活动，提出建议供大家选择。

You're going to arrange a class event. Make some suggestions for the class to choose from.

	选择一 xuǎnzé yī	选择二 xuǎnzé èr	最后决定 zuìhòu juédìng
活动 huódòng			
时间 shíjiān			
地点 dìdiǎn			
怎么去 zěnme qù			
买水果 mǎi shuǐguǒ			
用餐 yòngcān			
用餐地点 yòngcān dìdiǎn			

任务一：小组内先每一项挑选两种选项供大家选择。

Task 1: Discuss with your group and provide 2 choices for each item.

任务二：在班级里作调查，互相问一问、说一说自己愿意如何选择。

Task 2: Make a survey in your class on everyone's choices.

任务三：小组根据调查作出最后决定。

Task 3: Make the decision of your group based on your survey.

六、复习与表达 *Review and presentation*

1. 双人练习：回答问题 Pair work: Ask and answer the following questions.

（1）你 喜欢 中餐 还是西餐？

　　Nǐ xǐhuan zhōngcān háishi xīcān?

（2）学校　里边　有　饭馆　吗？

Xuéxiào lǐbian yǒu fànguǎn ma?

（3）你　去过　那个　饭馆　吗？

Nǐ qùguo nàge fànguǎn ma?

（4）那个　饭馆　怎么样？

Nàge fànguǎn zěnmeyàng?

（5）你的　爱好　是　什么？

Nǐ de àihào shì shénme?

（6）你　对　足球　有　兴趣　吗？

Nǐ duì zúqiú yǒu xìngqù ma?

（7）你　喜欢　游泳　吗？

Nǐ xǐhuan yóuyǒng ma?

（8）你　每　天　打球　吗？

Nǐ měi tiān dǎ qiú ma?

（9）你　喜欢　旅行　吗？

Nǐ xǐhuan lǚxíng ma?

（10）你　去过　什么　地方？

Nǐ qùguo shénme dìfang?

（11）你　最　喜欢　哪儿？

Nǐ zuì xǐhuan nǎr?

（12）你　学过　书法　和　中国画　吗？

Nǐ xuéguo shūfǎ hé zhōngguóhuà ma?

2. 课堂展示：语段表达　Presentation

说说自己的兴趣爱好和有关这些爱好的经历。

Say a few sentences about your interest, hobbies and some related experiences with the given words and sentence patterns.

参考词语和句式

对……感兴趣 / 有兴趣 / 没兴趣
duì……gǎn xìngqù / yǒu xìngqù / méi xìngqù

又……又……　　打　　踢　　网球　　篮球　　足球
yòu……yòu……　　dǎ　　tī　　wǎngqiú　　lánqiú　　zúqiú

乒乓球　　　棒球　　中餐　　西餐　　旅行
pīngpāngqiú　　bàngqiú　　zhōngcān　　xīcān　　lǚxíng

……过　　没……过　　可是
……guo　　méi……guo　　kěshì

挑战自我
Challenge Yourself

交际任务　*Communication task*

小调查：了解一下你周围的人喜欢中餐还是西餐，喜欢足球还是乒乓球，喜欢看电视还是喜欢看电影。

Survey: Chat with some people around you and get to know which of the following they prefer.

中餐 zhōngcān	西餐 xīcān	足球 zúqiú	乒乓球 pīngpāngqiú	看电视 kàn diànshì	看电影 kàn diànyǐng

这些话，我能脱口而出

14 我搬家了
I've moved

跟我读，学生词（一）

New Words I

1.	下	xià	*v.*	(of rain or snow) fall
2.	雨	yǔ	*n.*	rain
3.	办	bàn	*v.*	do, handle, manage
4.	雨伞	yǔsǎn	*n.*	umbrella
5.	这儿	zhèr	*pron.*	here
6.	搬（家）	bān (jiā)	*v.*	move (house)
7.	同屋	tóngwū	*n.*	roommate
8.	别人	biéren	*pron.*	other people, others
9.	没意思	méi yìsi		boring
10.	到	dào	*v.*	get to (a place)
11.	号	hào	*m.*	number, No.
12.	层	céng	*m.*	storey, floor

课文（一）　　80

Text I

（Tomomi and Hannah are walking in the street when it starts to rain.）

友美：你看，下雨了。
Yǒuměi: Nǐ kàn, xià yǔ le.

汉娜：怎么办？我们没有雨伞。
Hànnà: Zěnme bàn? Wǒmen méiyǒu yǔsǎn.

友美：没关系，我家就在前边，走路
Yǒuměi: Méi guānxi, wǒ jiā jiù zài qiánbian, zǒulù

134

两 分钟。
liǎng fēnzhōng.

汉娜: 你 住 在 这儿?
Hànnà: Nǐ zhù zài zhèr?

友美: 对，我 搬家 了。我 朋友 的 同屋 回国 了，现在 我 和 朋友 一起 住。
Yǒuměi: Duì, wǒ bānjiā le. Wǒ péngyou de tóngwū huí guó le, xiànzài wǒ hé péngyou yìqǐ zhù.

汉娜: 我 也 想 和 别人 一起 住，一个 人 住 没 意思。
Hànnà: Wǒ yě xiǎng hé biéren yìqǐ zhù, yí ge rén zhù méi yìsi.

友美: 我们 到 了。就是 这个 楼， 23 号 楼。
Yǒuměi: Wǒmen dào le. Jiù shì zhège lóu, èrshísān hào lóu.

汉娜: 你家 在 几 层?
Hànnà: Nǐ jiā zài jǐ céng?

友美: 5 层， 502 号。
Yǒuměi: Wǔ céng, wǔ líng èr hào.

边学边练 *Practice to learn*

1. Xià yǔ le, kěshì tāmen méiyǒu _____ .

2. Yǒuměi de jiā jiù zài _____, hěn jìn, zǒulù _____ .

3. Yǒuměi péngyou de tóngwū _____, xiànzài Yǒuměi hé _____ yìqǐ zhù.

4. Yǒuměi zhù zài _____ lóu _____ céng.

跟我读，学生词（二） 81

New Words II

1. 请	qǐng	*v.*	please
2. 进	jìn	*v.*	enter, come in, get into
3. 真	zhēn	*adv.*	really, indeed
4. 干净	gānjìng	*adj.*	clean
5. 参观	cānguān	*v.*	visit
6. 客厅	kètīng	*n.*	living room

7.	餐厅	cāntīng	*n.*	dining room
8.	左边	zuǒbian	*n.*	left, left side
9.	右边	yòubian	*n.*	right, right side
10.	厨房	chúfáng	*n.*	kitchen
11.	卫生间	wèishēngjiān	*n.*	bathroom, washroom, toilet
12.	房租	fángzū	*n.*	rent

课文（二） 82

Text II

（Tomomi invites Hannah to her flat.）

友美：请 进。这就是我和我 朋友 的家。
Yǒuměi: Qǐng jìn. Zhè jiù shì wǒ hé wǒ péngyou de jiā.

汉娜：你们 家真大! 又 干净 又 漂亮。可以 参观 吗?
Hànnà: Nǐmen jiā zhēn dà! Yòu gānjìng yòu piàoliang. Kěyǐ cānguān ma?

友美：当然 可以。这 是 客厅，也是 我们 的餐厅。
Yǒuměi: Dāngrán kěyǐ. Zhè shì kètīng, yě shì wǒmen de cāntīng.

汉娜：这个 房间 是 谁 的?
Hànnà: Zhège fángjiān shì shéi de?

友美：左边 的 房间 是 我的，右边 的是 我 朋友 的。这儿 是 厨房。
Yǒuměi: Zuǒbian de fángjiān shì wǒ de, yòubian de shì wǒ péngyou de. Zhèr shì chúfáng.

汉娜：你们 的 厨房 真 干净。那儿 是 卫生间 吧?
Hànnà: Nǐmen de chúfáng zhēn gānjìng. Nàr shì wèishēngjiān ba?

友美：对。我们 的家 怎么样?
Yǒuměi: Duì. Wǒmen de jiā zěnmeyàng?

汉娜：太好了，我特别喜欢。房租 贵 不贵?
Hànnà: Tài hǎo le, wǒ tèbié xǐhuan. Fángzū guì bu guì?

友美：不太贵。
Yǒuměi: Bú tài guì.

汉娜：我也想 搬家了。
Hànnà: Wǒ yě xiǎng bānjiā le.

边学边练　*Practice to learn*

1. Yǒuměi de jiā hěn dà, yòu _____.

2. Yǒuměi de jiā yǒu _____ 、liǎng ge fángjiān、chúfáng hé _____.

3. Liǎng ge fángjiān, _____ shì Yǒuměi de, yòubian de shì tā péngyou de.

4. _____ bú tài guì.

功能句
Functional Sentences

【谈论发生的事情】 **Talking about what has happened**

1. 下 雨 了。
   Xià yǔ le.

2. 我 搬家 了。
   Wǒ bānjiā le.

3. 他 的 同屋 回 国 了。
   Tā de tóngwū huí guó le.

4. 我们 到 了。
   Wǒmen dào le.

【介绍】 **Introduction**

1. 这 就 是 我 和 我 朋友 的 家。
   Zhè jiù shì wǒ hé wǒ péngyou de jiā.

2. 这 是 客厅，也 是 我们 的 餐厅。
   Zhè shì kètīng, yě shì wǒmen de cāntīng.

3. 左边 的 房间 是 我的，右边 的 是 我 朋友 的。
   Zuǒbian de fángjiān shì wǒ de, yòubian de shì wǒ péngyou de.

【评价】 **Making comments**

1. 你们 家 真 大。
   Nǐmen jiā zhēn dà.

2. 你的 房间 真 漂亮。
   Nǐ de fángjiān zhēn piàoliang.

3. 你们 的 厨房 真 干净。
   Nǐmen de chúfáng zhēn gānjìng.

4. 电视 的 广告 真 多。
   Diànshì de guǎnggào zhēn duō.

5. 太 好 了，我 特别 喜欢。
   Tài hǎo le, wǒ tèbié xǐhuan.

6. 房租 不 太 贵。
   Fángzū bú tài guì.

课堂活动与练习
Classroom Activities and Exercises

一、语音练习 *Pronunciation* 83

xiǎo 小 small, little	dài 带 carry, take	jiàn 件 *a measure word*
xuě 雪 snow	huài 坏 go bad, ruin	yǒu yìsi 有意思 interesting

Yǔ tèbié xiǎo.	Wǒ méi dài sǎn.	yí jiàn piàoliang yīfu
Xià dàxuě le.	Pútao huài le.	Nàge diànyǐng zhēn yǒu yìsi.

二、大声读一读 *Read aloud*

雨 yǔ	下雨 xià yǔ	大雨 dàyǔ	小雨 xiǎoyǔ
下大雨 xià dàyǔ	下了一天雨。 Xiàle yì tiān yǔ.	雨伞 yǔsǎn	我没带雨伞。 Wǒ méi dài yǔsǎn.
了 le	下雨了。 Xià yǔ le.	现在八点了。 Xiànzài bā diǎn le.	公共汽车来了。 Gōnggòng qìchē lái le.

我们到了。		她回国了。	
Wǒmen dào le.		Tā huí guó le.	
家	我家	我朋友的家	搬家
jiā	wǒ jiā	wǒ péngyou de jiā	bānjiā
我搬家了。		我昨天就搬家了。	
Wǒ bānjiā le.		Wǒ zuótiān jiù bānjiā le.	
一起 yìqǐ	我们和老师一起 wǒmen hé lǎo-shī yìqǐ	我们和朋友一起打球。 Wǒmen hé péngyou yìqǐ dǎ qiú.	和朋友一起去看电影 hé péngyou yìqǐ qù kàn diànyǐng
没意思 méi yìsi	有意思 yǒu yìsi	这本书很有意思。 Zhè běn shū hěn yǒu yìsi.	那个电视节目没意思。 Nàge diànshì jiémù méi yìsi.
一个人住没意思。		中国的书法很有意思。	
Yí ge rén zhù méi yìsi.		Zhōngguó de shūfǎ hěn yǒu yìsi.	
真 zhēn	真大 zhēn dà	真干净 zhēn gānjìng	厨房真干净 chúfáng zhēn gānjìng
你家的厨房真干净。		我真喜欢那件衣服。	
Nǐ jiā de chúfáng zhēn gānjìng.		Wǒ zhēn xǐhuan nà jiàn yīfu.	

三、替换词语说句子 *Substitution drills*

1. 你看，下雨了。
   Nǐ kàn, xià yǔ le.

下雪了 xià xuě le	电脑坏了 diànnǎo huài le
公共汽车来了 gōnggòng qìchē lái le	

2. A：我没带雨伞怎么办？
   Wǒ méi dài yǔsǎn zěnmebàn?

   B：没关系，我有。
   Méi guānxi, wǒ yǒu.

钱不多了 qián bù duō le	没带书 méi dài shū
没带笔 méi dài bǐ	

3. A：一个人住 有意思吗?
   Yí ge rén zhù yǒu yìsi ma?

   B：没 意思。
   Méi yìsi.

那个电影	很有意思
nàge diànyǐng	hěn yǒu yìsi
学习中国画	非常有意思
xuéxí zhōngguóhuà	fēicháng yǒu yìsi
和别人一起玩儿	特别有意思
hé biéren yìqǐ wánr	tèbié yǒu yìsi

4. A：这个 房间 是 谁 的?
   Zhège fángjiān shì shéi de?

   B：是 我 的。
   Shì wǒ de.

电脑	我朋友的
diànnǎo	wǒ péngyou de
足球	我弟弟的
zúqiú	wǒ dìdi de
手机	他同屋的
shǒujī	tā tóngwū de

5. A：你 喜欢 哪个 房间?
   Nǐ xǐhuan nǎge fángjiān?

   B：我 喜欢 左边 的 房间。
   Wǒ xǐhuan zuǒbian de fángjiān.

喜欢	个	电影	喜欢昨天那个电影
xǐhuan	gè	diànyǐng	xǐhuan zuótiān nàge diànyǐng
买	种	自行车	买便宜的自行车
mǎi	zhǒng	zìxíngchē	mǎi piányi de zìxíngchē
要	个	面包	要小的面包
yào	gè	miànbāo	yào xiǎo de miànbāo
喜欢	件	衣服	喜欢那件衣服
xǐhuan	jiàn	yīfu	xǐhuan nà jiàn yīfu

6. 你们 家 真 大。
　　Nǐmen jiā zhēn dà.

这个公园 zhège gōngyuán	漂亮 piàoliang
你的房间 nǐ de fángjiān	小 xiǎo
这儿的饭 zhèr de fàn	好吃 hǎochī
这儿的东西 zhèr de dōngxi	贵 guì

四、练一练：完成对话 *Complete the following dialogues*

1. A：你看，下 雨 了。
　　　Nǐ kàn, xià yǔ le.

　　B：＿＿＿＿＿＿＿？我 没有 雨伞。
　　　　　　　　　　　　Wǒ méiyǒu yǔsǎn.

　　A：＿＿＿＿＿＿，我 有。
　　　　　　　　　　wǒ yǒu

2. A：你看，我 的 自行车 ＿＿＿＿＿，＿＿＿＿＿？
　　　nǐ kàn, wǒ de zìxíngchē

　　B：没 关系，你 骑 我 的 吧。
　　　Méi guānxi, nǐ qí wǒ de ba.

3. A：你还住在 学生 宿舍吗?
　　　Nǐ hái zhù zài xuéshēng sùshè ma?

　　B：不，＿＿＿＿＿＿。
　　　bù

　　A：你 现在 住 哪儿?
　　　Nǐ xiànzài zhù nǎr?

　　B：＿＿＿＿＿＿。

　　A：那儿的 ＿＿＿＿＿?
　　　nàr de

　　B：不 太 贵。
　　　Bú tài guì.

4. A：你 现在 住 哪儿？
　　Nǐ xiànzài zhù nǎr?

　B：＿＿＿＿＿＿＿＿＿。

　A：你 一个 人 住 吗？
　　Nǐ yí ge rén zhù ma?

　B：不，＿＿＿＿＿＿＿＿＿。
　　bù

5. A：你们 住 在 几 号 楼？
　　Nǐmen zhù zài jǐ hào lóu?

　B：＿＿＿＿＿＿＿＿＿。

　A：＿＿＿＿＿＿＿＿＿？

　B：7 层， 703。
　　Qī céng, qī líng sān.

6. A：这 是 你 的 房间 吗？
　　Zhè shì nǐ de fángjiān ma?

　B：对，＿＿＿＿＿＿＿＿＿。
　　duì

　A：谢谢。＿＿＿＿＿＿＿＿＿。
　　Xièxie.

　B：谢谢。
　　Xièxie.

7. A：你们 的 公寓 有＿＿＿＿＿＿＿＿＿房间？
　　nǐmen de gōngyù yǒu　　　　　　　fángjiān

　B：有 两 个。
　　Yǒu liǎng ge.

　A：哪个 是 你 的 房间？
　　Nǎge shì nǐ de fángjiān?

　B：大 的＿＿＿＿＿＿＿＿＿，＿＿＿＿＿＿＿＿＿。
　　dà de

　A：有＿＿＿＿＿＿＿＿＿和＿＿＿＿＿＿＿＿＿吗？
　　yǒu　　　　　　　hé　　　　　　　ma

B：当然，可是 没有 餐厅。
Dāngrán, kěshì méiyǒu cāntīng.

五、小组活动　*Group work*

看图说一说　Look at the picture and talk about it.

任务一：互相问一问、说一说房子都有什么，每个房间怎么样。

Task 1: Ask and answer questions about what rooms there are in the house and how they are.

任务二：如果你可以住在这儿，你想怎么住？

Task 2: If you're going to move in this house, how would you like to use each room?

六、复习与表达　*Review and presentation*

1.双人练习：回答问题　Pair work: Ask and answer the following questions.

（1）你 住在 哪儿？
Nǐ zhù zài nǎr?

（2）你 住在 几号楼？你 住在 几层？
Nǐ zhù zài jǐ hào lóu? Nǐ zhù zài jǐ céng?

（3）你 一个人 住 还是 和 别人 一起 住？
Nǐ yí ge rén zhù háishi hé biéren yìqǐ zhù?

（4）房租 贵 不 贵？
Fángzū guì bu guì?

（5）你 的 家/公寓 都 有 什么 房间？
Nǐ de jiā /gōngyù dōu yǒu shénme fángjiān?

（6）哪个 房间 是你的？

Nǎge fángjiān shì nǐ de?

（7）我们 可以 参观 你的家/公寓 吗？

Wǒmen kěyǐ cānguān nǐ de jiā/gōngyù ma?

（8）你 想 搬家吗？

Nǐ xiǎng bānjiā ma?

（9）这 本 书 是 谁 的？

Zhè běn shū shì shéi de?

（10）那个 手机 是 谁 的？

Nàge shǒujī shì shéi de?

（11）那个 手机 是不是 你 的？

Nàge shǒujī shì bu shì nǐ de?

（12）你 有 电脑 吗？ 哪个 电脑 是你的？

Nǐ yǒu diànnǎo ma? Nǎge diànnǎo shì nǐ de?

2. 课堂展示：语段表达　Presentation

让同学介绍他的家/公寓，然后说一说你觉得他的家/公寓怎么样。

Ask your partner to tell you something about his/her home or apartment and then tell him/her about what you think of it. Try to use the given words and sentence patterns.

参考词语和句式

……号楼	层	和……一起……	房间	真……
……hào lóu	céng	hé……yìqǐ……	fángjiān	zhēn……
……又……	客厅	餐厅	厨房	卫生间
……yòu……	kètīng	cāntīng	chúfáng	wèishēngjiān
搬家	房租	有意思	没意思	
bānjiā	fángzū	yǒu yìsi	méi yìsi	

挑战自我
Challenge Yourself

交际任务 *Communication task*

小调查：了解一下留学生公寓和中国学生公寓的基本情况，如都有什么设施、几个人一起住、房租多少等。

Survey: Make a survey on the differences between the international student apartment and Chinese student apartment.

	留学生公寓 liúxuéshēng gōngyù	中国学生公寓 Zhōngguó xuéshēng gōngyù
有什么 yǒu shénme		
几个人 jǐ ge rén		
房租 fángzū		

这些话，我能脱口而出

周末我们去了天津

We went to Tianjin at the weekend

跟我读，学生词（一）

New Words I

1.	周末	zhōumò	*n.*	weekend
2.	趟	tàng	*m.*	*for a round trip*
3.	好玩儿	hǎowánr	*adj.*	fun, amusing, interesting
4.	什么的	shénmede	*part.*	things like that
5.	碰见	pèngjiàn	*v.*	run into
6.	有名	yǒumíng	*adj.*	famous, well-known
7.	一定	yídìng	*adv.*	certainly
8.	要	yào	*aux.*	must, shall, will

专有名词　Proper Noun

天津	Tiānjīn	Tianjin, a city in China

课文（一） 85

Text I

（Hannah is telling Martin about her trip to Tianjin, a city not far from Beijing.）

马丁：　你　周末　去　哪儿　了？
Mǎdīng：　Nǐ zhōumò qù　nǎr　le?

汉娜：　我　和　中国　　朋友　去了一　趟　天津。
Hànnà：　Wǒ hé Zhōngguó péngyou qùle　yí　tàng Tiānjīn.

马丁：　天津　远　吗？
Mǎdīng：　Tiānjīn yuǎn ma?

汉娜: 不太远。我们 坐火车，不到一个小时 就到了。
Hànnà: Bú tài yuǎn. Wǒmen zuò huǒchē, bú dào yí ge xiǎoshí jiù dào le.

马丁: 天津 怎么样？
Mǎdīng: Tiānjīn zěnmeyàng?

汉娜: 天津 很 好玩儿，吃饭、买衣服 什么的 都 很 便宜，天津 人也 特
Hànnà: Tiānjīn hěn hǎowánr, chī fàn、mǎi yīfu shénmede dōu hěn piányi, Tiānjīn rén yě tè-

别 好。我还 碰见了 我 的 好 朋友。
bié hǎo. Wǒ hái pèngjiànle wǒ de hǎo péngyou.

马丁: 他 也 去天津 旅行 吗？
Mǎdīng: Tā yě qù Tiānjīn lǚxíng ma?

汉娜: 不，他 在 天津学习。我们 还去了他的 学校。他们 学校 在 中
Hànnà: Bù, tā zài Tiānjīn xuéxí. Wǒmen hái qùle tā de xuéxiào. Tāmen xuéxiào zài Zhōng-

国 很 有名。
guó hěn yǒumíng.

马丁: 你还去天津 吗？我也 想 和你 一起去。
Mǎdīng: Nǐ hái qù Tiānjīn ma? Wǒ yě xiǎng hé nǐ yìqǐ qù.

汉娜: 好啊，那儿有很 多 好玩儿的 地方，你 一定 要去。
Hànnà: Hǎo a, nàr yǒu hěn duō hǎowánr de dìfang, nǐ yídìng yào qù.

边学边练 *Practice to learn*

1. Hànnà zhōumò _____ Tiānjīn.

2. Hànnà hé péngyou zuò _____ qùle Tiānjīn.

3. Tiānjīn bú tài yuǎn, zuò huǒchē bú dào yí ge xiǎoshí _____.

4. Tiānjīn de dōngxi _____, Tiānjīn de rén _____.

5. Hànnà zài Tiānjīn _____ tā de hǎo péngyou.

6. Hànnà de hǎo péngyou zài Tiānjīn _____, tā de xuéxiào _____.

跟我读，学生词（二）　86

New Words II

1.	一……就……	yī……jiù……	as soon as, no sooner...than...
2.	特色	tèsè	*n.*	distinguishing feature
3.	菜	cài	*n.*	dish, vegetable
4.	家	jiā	*m.*	*for families and business establishments*
5.	老	lǎo	*adj.*	old, aged
6.	包子	bāozi	*n.*	steamed stuffed bun
7.	新	xīn	*adj.*	new
8.	素菜	sùcài	*n.*	vegetable dish, vegetable
9.	为了	wèile	*prep.*	for, for the sake of, in order to
10.	环保	huánbǎo	*n.*	environmental protection
11.	少	shǎo	*adj.*	few, little, less
12.	肉	ròu	*n.*	meat
13.	味道	wèidào	*n.*	taste, flavour
14.	极（了）	jí (le)	*adv.*	extremely

课文（二）　87

Text II

（Hannah is telling Martin about the food she had in Tianjin.）

马丁：在 天津，你们 吃了 什么？
Mǎdīng:　Zài Tiānjīn, nǐmen chīle shénme?

汉娜：我们 一到 天津 就去了那儿最 有名 的 饭馆，吃了他们的特色菜。
Hànnà:　Wǒmen yí dào Tiānjīn jiù qùle nàr zuì yǒumíng de fànguǎn, chīle tāmen de tèsè cài.

马丁：你们 去的是 什么 饭馆？他们 有 什么 特色菜？
Mǎdīng:　Nǐmen qù de shì shénme fànguǎn? Tāmen yǒu shénme tèsè cài?

汉娜：我们 去了一家老 饭馆，吃了天津 最 有名 的包子。
Hànnà:　Wǒmen qùle yì jiā lǎo fànguǎn, chīle Tiānjīn zuì yǒumíng de bāozi.

马丁： 我 喜欢 吃包子。
Mǎdīng: Wǒ xǐhuan chī bāozi.

汉娜： 我们 还去了一家新 饭馆， 我们 吃 的 都是素菜。
Hànnà: Wǒmen hái qùle yì jiā xīn fànguǎn, wǒmen chī de dōu shì sùcài.

马丁： 为 什么 都 是素菜?
Mǎdīng: Wèi shénme dōu shì sùcài?

汉娜： 为了 环保 啊， 少 吃 肉。
Hànnà: Wèile huánbǎo a, shǎo chī ròu.

马丁： 味道 怎么样?
Mǎdīng: Wèidào zěnmeyàng?

汉娜： 味道 好 极了。
Hànnà: Wèidào hǎo jí le.

边学边练 *Practice to learn*

1. Tāmen _____ dào Tiānjīn _____ qùle fànguǎn.

2. Tāmen qùle yì _____ Tiānjīn zuì _____ de fànguǎn, chīle nàr de _____.

3. Tāmen _____ dōu shì sùcài, sùcài de _____ hǎo jí le.

4. Tāmen _____ huánbǎo, yào _____ chī ròu.

功能句
Functional Sentences

【报告、说明】 **Making reports and explanations**

1. 周末 我们 去了西安。
   Zhōumò wǒmen qùle Xī'ān.

2. 我 碰见了我 的 好 朋友。
   Wǒ pèngjiànle wǒ de hǎo péngyou.

3. 我们 还吃了特色菜。
   Wǒmen hái chīle tèsè cài.

4.吃 饭、买 衣服 什么的 都 很 便宜，天津 人 也 特别 好。
Chī fàn、mǎi yīfu shénmede dōu hěn piányi, Tiānjīn rén yě tèbié hǎo.

5.我们 去了一家 老 饭馆，吃了 天津 最 有名 的 包子。
Wǒmen qùle yì jiā lǎo fànguǎn, chīle Tiānjīn zuì yǒumíng de bāozi.

【叙述】 **Narration**

1.一到 天津 就 去了一家 饭馆。
Yí dào Tiānjīn jiù qùle yì jiā fànguǎn.

2.他一 放假 就去 旅行。
Tā yí fàngjià jiù qù lǚxíng.

3.早上 一 起床 就去 上课。
Zǎoshang yì qǐchuáng jiù qù shàngkè.

【建议】 **Making suggestions**

1.少 吃 肉，多吃 素菜。
Shǎo chī ròu, duō chī sùcài.

2.少 喝咖啡，多 喝茶。
Shǎo hē kāfēi, duō hē chá.

3.少 看 电视，多看 书。
Shǎo kàn diànshì, duō kàn shū.

【谈论饮食】 **Talking about food and drink**

1.你们 吃了 什么？
Nǐmen chīle shénme?

2.我们 去了那儿最 有名 的 饭馆，吃了 他们 的 特色 菜。
Wǒmen qùle nàr zuì yǒumíng de fànguǎn, chīle tāmen de tèsè cài.

3.味道 怎么样？
Wèidào zěnmeyàng?

4.味道 好极了。
Wèidào hǎo jí le.

课堂活动与练习
Classroom Activities and Exercises

一、语音练习 *Pronunciation*

cì 次 (m.) time	hǎokàn 好看 good-looking, nice
jīchǎng 机场 airport	

dì yī cì   hǎokàn bù hǎochī   fēijīchǎng

dì yī cì qù Tiānjīn   zhège cài hǎokàn bù hǎochī

qù fēijīchǎng yào yí ge xiǎoshí

二、大声读一读 *Read aloud*

去 qù	去了 qùle	去了一趟 qùle yí tàng	去了一趟超市 qùle yí tàng chāoshì
下午去了一趟超市 xiàwǔ qùle yí tàng chāoshì		我下午没去超市。 Wǒ xiàwǔ méi qù chāoshì.	
去 qù	去过 qùguo	去过一次 qùguo yí cì	去过一次上海 qùguo yí cì Shànghǎi
去年去过一次上海 qùnián qùguo yí cì Shànghǎi		我没去过上海。 Wǒ méi qùguo Shànghǎi.	
碰见 pèngjiàn	碰见了 pèngjiànle	碰见了一个朋友 pèngjiànle yí ge péngyou	昨天我碰见了一个朋友。 Zuótiān wǒ pèngjiànle yí ge péngyou.
昨天在银行碰见了一个朋友。 Zuótiān zài yínháng pèngjiànle yí ge péngyou.		昨天坐火车碰见了一个朋友。 Zuótiān zuò huǒchē pèngjiànle yí ge péngyou.	
一⋯⋯就⋯⋯ yī⋯⋯jiù⋯⋯	一看就喜欢 yí kàn jiù xǐhuan	一下课就去运动 yí xiàkè jiù qù yùn-dòng	一到 12 点就吃饭 yí dào shí'èr diǎn jiù chī fàn
一来中国就去了上海 yì lái Zhōngguó jiù qùle Shànghǎi		我一看电视就想睡觉。 Wǒ yí kàn diànshì jiù xiǎng shuìjiào.	
少 shǎo	很少 hěn shǎo	太少了 tài shǎo le	少吃肉 shǎo chī ròu

少看电视 shǎo kàn diànshì		少买东西 shǎo mǎi dōngxi	
好 hǎo	好吃 hǎochī	好玩儿 hǎowánr	好看 hǎokàn
包子很好吃。 Bāozi hěn hǎochī.		那个地方特别好玩儿。 Nàge dìfang tèbié hǎowánr.	你的手机真好看。 Nǐ de shǒujī zhēn hǎokàn.
……极了 ……jí le	好极了 hǎo jí le	好吃极了 hǎochī jí le	干净极了 gānjìng jí le
那个地方漂亮极了。 Nàge dìfang piàoliang jí le.		那个机场大极了。 Nàge jīchǎng dà jí le.	
他的书法好极了。 Tā de shūfǎ hǎo jí le.		那儿的东西便宜极了。 Nàr de dōngxi piányi jí le.	

三、替换词语说句子 *Substitution drills*

1. A：你 上午 去哪儿了？
   Nǐ shàngwǔ qù nǎr le?

   B：我 去了一 趟 超市。
   Wǒ qùle yí tàng chāoshì.

图书馆 túshūguǎn
机场 jīchǎng
朋友家 péngyou jiā

2. 周末 我在 图书馆
   Zhōumò wǒ zài túshūguǎn

   碰见了 我的 老师。
   pèngjiànle wǒ de lǎoshī.

机场 jīchǎng	认识 rènshi	一个德国人 yí ge Déguó rén
商店 shāngdiàn	买 mǎi	一个新手机 yí ge xīn shǒujī
上海 Shànghǎi	打 dǎ	一次棒球 yí cì bàngqiú

3. 我们 一 到 天津 就 去了一家 饭馆。
   Wǒmen yí dào Tiānjīn jiù qùle yì jiā fànguǎn.

下课	回来
xiàkè	huílai
放假	坐火车去旅行
fàngjià	zuò huǒchē qù lǚxíng
放假	回国
fàngjià	huí guó

4. 这 是 最 有名 的包子。
   Zhè shì zuì yǒumíng de bāozi.

好看	电影
hǎokàn	diànyǐng
好吃	特色菜
hǎochī	tèsè cài
好玩儿	地方
hǎowánr	dìfang

5. 少 吃肉，多 吃素菜。
   Shǎo chī ròu, duō chī sùcài.

喝咖啡	喝水
hē kāfēi	hē shuǐ
吃饭	运动
chīfàn	yùndòng
坐车	走路
zuò chē	zǒulù

6. A：你 为 什么 吃素菜?
      Nǐ wèi shénme chī sùcài?

   B：为了 环保。
      Wèile huánbǎo.

去上海	看朋友
qù Shànghǎi	kàn péngyou
来中国	学习汉语
lái Zhōngguó	xuéxí Hànyǔ
去天津	吃那儿的包子
qù Tiānjīn	chī nàr de bāozi

四、练一练：完成对话　*Complete the following dialogues*

1. A：＿＿＿＿＿＿＿＿＿＿＿＿？

　　B：我 和 朋友 去旅行了。
　　　Wǒ hé péngyou qù lǚxíng le.

　　A：你们 去了 什么 地方？
　　　Nǐmen qùle shénme dìfang?

　　B：＿＿＿＿＿＿＿＿＿＿＿＿。

2. A：今天 上午 你不在 宿舍？
　　　Jīntiān shàngwǔ nǐ bú zài sùshè?

　　B：＿＿＿＿＿＿＿＿＿＿＿＿。

　　A：你买了 什么 东西？
　　　Nǐ mǎile shénme dōngxi?

　　B：＿＿＿＿＿＿＿＿＿＿＿＿。

3. A：你 周末 去哪儿 了？
　　　Nǐ zhōumò qù nǎr le?

　　B：＿＿＿＿＿＿＿＿＿＿＿＿。（一趟　yí tàng）

　　A：天津 怎么样？
　　　Tiānjīn zěnmeyàng?

　　B：＿＿＿＿＿＿＿＿＿＿＿＿。（好玩儿　hǎowánr）

　　A：我 也 想 去。
　　　Wǒ yě xiǎng qù.

　　B：对，＿＿＿＿＿＿＿＿＿＿＿＿。（一定　yídìng）
　　　duì

4. A：放假 你 做什么？
　　　Fàngjià nǐ zuò shénme?

　　B：＿＿＿＿＿＿＿＿＿＿＿＿。（一……就……　yī……jiù……）

5. A：我 的 钱 太 少 了，怎么 办？
　　　Wǒ de qián tài shǎo le, zěnme bàn?

　　B：＿＿＿＿＿＿＿＿＿＿＿＿。（少……　shǎo……）

A：可是 我 喜欢 买 东西，怎么办?
　　Kěshì wǒ xǐhuan mǎi dōngxi, zěnme bàn?

B：_____。（少…… shǎo ……）

6．A：你 吃过 那 家 饭馆 的 中餐 吗?
　　Nǐ chīguo nà jiā fànguǎn de zhōngcān ma?

B：_____。

A：味道 怎么样?
　　Wèidào zěnmeyàng?

B：_____。

五、小组活动 *Group work*

看图说一说　Look at the picture and talk about it.

任务一：根据图片顺序和课文内容，互相问一问、说一说汉娜周末做了什么。

Task 1: Ask and answer questions about Hannah's weekend according to the pictures and the text.

任务二：互相说一说自己周末做什么了。

Task 2: Tell each other something about your weekend.

六、复习与表达 *Review and presentation*

1．双人练习：回答问题　Pair work: Ask and answer the following questions.

（1）你 周末 去 哪儿 了?
　　　Nǐ zhōumò qù nǎr le?

（2）那个 地方 怎么样?
　　　Nàge dìfang zěnmeyàng?

（3）你 在那儿 做 什么 了？

　　　Nǐ zài nàr　zuò shénme le?

（4）你 最近 吃了 什么 好吃 的 东西？

　　　Nǐ zuìjìn　chīle shénme hǎochī de dōngxi?

（5）味道　怎么样？

　　　Wèidào zěnmeyàng?

（6）每 天下课 你 做 什么？

　　　Měi tiān xiàkè　nǐ zuò shénme?

（7）放假 你 做 什么？

　　　Fàngjià nǐ zuò shénme?

2. 课堂展示：语段表达　Presentation

向大家推荐一个你最近去过的地方，说一说那个地方怎么样、有什么特色菜。

Say a few sentences about a place you've visited recently with the given words and sentence patterns, such as how the place is and what special food there is.

参考词语和句式

一趟	好玩儿	有名	特色
yí tàng	hǎowánr	yǒumíng	tèsè

一……就……	一定	……极了
yī……jiù……	yídìng	……jí le

挑战自我
Challenge Yourself

交际任务　*Communication task*

大家一起完成一张旅行足迹图：找来当地地图或中国地图，在上面标出大家去过的地方，在旁边注释那个地方怎么样、有什么好玩儿的、有什么特色菜等。

Find a local map or a map of China. Mark the places you've visited on the map and make notes in the margin. Your notes may include the information about what interesting spots and nice food there are in those places.

这些话，我能脱口而出

16 你会教英语吗
Can you teach English

New Words I

1.	找	zhǎo	*v.*	look for, find
2.	份	fèn	*m.*	*for job, food portion, newspapers, documents, etc.*
3.	打工	dǎgōng	*v.*	work part-time
4.	知道	zhīdao	*v.*	know
5.	教	jiāo	*v.*	teach
6.	英语	Yīngyǔ	*n.*	English
7.	语伴	yǔbàn	*n.*	language partner
8.	互相	hùxiāng	*adv.*	mutually, each other
9.	帮助	bāngzhù	*v.*	help
10.	会	huì	*v./aux.*	be able to; can

课文（一）　90

Text I

（Hannah is talking with Li Xue about finding a language partner.）

汉娜：李雪，我 想 找一份 工作。
Hànnà: Lǐ Xuě, wǒ xiǎng zhǎo yí fèn gōngzuò.

李雪：找 工作? 在 中国， 留学生 可以 打工 吗?
Lǐ Xuě: Zhǎo gōngzuò? Zài Zhōngguó, liúxuéshēng kěyǐ dǎgōng ma?

汉娜：不 知道。我 想 找 一个 中国 学生， 我 教 他 英语，他 教 我
Hànnà: Bù zhīdào. Wǒ xiǎng zhǎo yí ge Zhōngguó xuésheng, wǒ jiāo tā Yīngyǔ, tā jiāo wǒ

汉语。
Hànyǔ.

李雪：哦，你 想 找 一个语伴， 互相 帮助。
Lǐ Xuě： Ò， nǐ xiǎng zhǎo yí ge yǔbàn， hùxiāng bāngzhù.

汉娜：对， 互相 帮助。
Hànnà： Duì， hùxiāng bāngzhù.

李雪：你 会 教 英语 吗？
Lǐ Xuě： Nǐ huì jiāo Yīngyǔ ma?

汉娜：当然 会，我 学过 怎么 教 英语。
Hànnà： Dāngrán huì， wǒ xuéguo zěnme jiāo Yīngyǔ.

边学边练 *Practice to learn*

1. Hànnà xiǎng _____ yí ge Zhōngguó xuésheng， tā kěyǐ jiāo Zhōngguó

    xuésheng _____， Zhōngguó xuésheng kěyǐ _____ tā Hànyǔ， tāmen kěyǐ

    _____ bāngzhù.

2. Tāmen _____ liúxuéshēng kěyǐ bu kěyǐ dǎgōng.

3. Hànnà _____ jiāo Yīngyǔ， tā xuéguo zěnme _____ Yīngyǔ.

跟我读，学生词（二） 91

New Words II

1.	以后	yǐhòu	*n.*	after, later
2.	方便	fāngbiàn	*adj.*	convenient
3.	能	néng	*aux.*	can, be able to
4.	聊天儿	liáotiānr	*v.*	chat
5.	了解	liǎojiě	*v.*	know, understand
6.	文化	wénhuà	*n.*	culture
7.	开始	kāishǐ	*v.*	begin
8.	觉得	juéde	*v.*	think, feel
9.	难	nán	*adj.*	difficult
10.	发音	fāyīn	*v.*	pronounce

| 11. | 容易 | róngyì | *adj.* | easy |
| 12. | 写 | xiě | *v.* | write |

课文（二）　92

Text II

（Hannah and Martin are talking about learning Chinese.）

汉娜：马丁，你为 什么 要 学汉语？
Hànnà: Mǎdīng, nǐ wèi shénme yào xué Hànyǔ?

马丁：我 以后 想 在 中国　工作。你呢？
Mǎdīng: Wǒ yǐhòu xiǎng zài Zhōngguó gōngzuò. Nǐ ne?

汉娜：我 喜欢 旅行，会 说 汉语，在　中国　旅行 很 方便。
Hànnà: Wǒ xǐhuan lǚxíng, huì shuō Hànyǔ, zài Zhōngguó lǚxíng hěn fāngbiàn.

马丁：不会 汉语 也 能 在　中国　旅行 啊。
Mǎdīng: Bú huì Hànyǔ yě néng zài Zhōngguó lǚxíng a.

汉娜：当然，可是会 汉语可以 和　中国　人 聊天儿，了解　中国，　了解
Hànnà: Dāngrán, kěshì huì Hànyǔ kěyǐ　hé Zhōngguó rén liáotiānr,　liǎojiě Zhōngguó, liǎojiě

　　　中国　文化。
　　　Zhōngguó wénhuà.

马丁：你 说 得 对。
Mǎdīng: Nǐ shuō de duì.

汉娜：开始 学 汉语的 时候，我 觉得 汉语特别难。
Hànnà: Kāishǐ xué Hànyǔ de shíhou,　wǒ juéde Hànyǔ tèbié nán.

马丁：是啊，开始 的 时候，发音不容易，写汉字也不容易。
Mǎdīng: Shì a,　kāishǐ de shíhou,　fāyīn bù róngyì, xiě Hànzì yě bù róngyì.

汉娜：现在 会 汉语了，我 觉得 不难 了。
Hànnà: Xiànzài huì Hànyǔ le,　wǒ juéde bù nán le.

边学边练 *Practice to learn*

1. Mǎdīng xué _____, xiǎng zài Zhōngguó gōngzuò.
2. Hànnà juéde, _____ Hànyǔ, lǚxíng de shíhou hěn fāngbiàn, kěyǐ _____, kěyǐ _____.
3. Kāishǐ xuéxí Hànyǔ de shíhou, tāmen juéde _____, _____ bù róngyì, _____ yě bù róngyì.
4. Xiànzài, tāmen _____ Hànyǔ le, juéde _____ le.

功能句
Functional Sentences

【询问】 **Inquiry**

1. 在 中国， 留学生 可以 打工 吗？
   Zài Zhōngguó, liúxuéshēng kěyǐ dǎgōng ma?

2. 你会教 英语 吗？
   Nǐ huì jiāo Yīngyǔ ma?

3. 你为 什么 要 学 汉语？
   Nǐ wèi shénme yào xué Hànyǔ?

【评价】 **Making comments**

1. 开始 学 汉语 的时候，我 觉得 汉语 特别 难。
   Kāishǐ xué Hànyǔ de shíhou, wǒ juéde Hànyǔ tèbié nán.

2. 发音 不 容易，写 汉字 也不 容易。
   Fāyīn bù róngyì, xiě Hànzì yě bù róngyì.

3. 现在 我 觉得 不 难 了。
   Xiànzài wǒ juéde bù nán le.

【谈论能力】 **Talking about ability**

1. 会 说 汉语，在 中国 旅行 很 方便。
   Huì shuō Hànyǔ, zài Zhōngguó lǚxíng hěn fāngbiàn.

2. 现在 会 汉语 了。
   Xiànzài huì Hànyǔ le.

3. A：你 会 教 英语 吗？

　　Nǐ huì jiāo Yīngyǔ ma?

　B：当然　会，没 问题。

　　Dāngrán huì, méi wèntí.

课堂活动与练习
Classroom Activities and Exercises

一、语音练习　*Pronunciation*　93

huà　画 draw	fānyì　翻译 translate

huà zhōngguóhuà　　　　　zuò wǔfàn　　　　　fānyì gōngzuò

Nǐ huì huà zhōngguóhuà ma?　　shíyī diǎn zuò wǔfàn

Wǒ yǐhòu xiǎng zuò fānyì gōngzuò.

二、大声读一读　*Read aloud*

会 huì	会汉语 huì Hànyǔ	会写汉字 huì xiě Hànzì	会画中国画 huì huà zhōngguóhuà
他不会做中国菜。 Tā bú huì zuò Zhōngguó cài.		你会打棒球吗？ Nǐ huì dǎ bàngqiú ma?	
能 néng	能说汉语 néng shuō Hànyǔ	能了解文化 néng liǎojiě wénhuà	能住在学校外边 néng zhù zài xuéxiào wàibian
上汉语课不能说英语。 Shàng Hànyǔ kè bù néng shuō Yīngyǔ.		我们都能去吗？ Wǒmen dōu néng qù ma?	
可以 kěyǐ	可以去 kěyǐ qù	不可以打电话 bù kěyǐ dǎ diànhuà	上课不可以吃东西。 Shàngkè bù kěyǐ chī dōngxi.
现在可以开始了。 Xiànzài kěyǐ kāishǐ le.		咱们可以开始上课了。 Zánmen kěyǐ kāishǐ shàngkè le.	
知道 zhīdao	不知道 bù zhīdào	你知道不知道？ Nǐ zhīdao bu zhīdao?	你知道怎么去吗？ Nǐ zhīdao zěnme qù ma?

你知道不知道这个大学？ Nǐ zhīdao bu zhīdao zhège dàxué?		你知道什么时候放假吗？ Nǐ zhīdao shénme shíhou fàngjià ma?	
开始 kāishǐ	开始学习 kāishǐ xuéxí	开始学习的时候 kāishǐ xuéxí de shíhou	什么时候开始 shénme shíhou kāishǐ
难 nán	容易 róngyì	特别难 tèbié nán	非常容易 fēicháng róngyì
学汉语不太难。 Xué Hànyǔ bú tài nán.		找语伴不太容易。 Zhǎo yǔbàn bú tài róngyì.	
教 jiāo	教汉语 jiāo Hànyǔ	他教我们汉语。 Tā jiāo wǒmen Hànyǔ.	教英语的工作 jiāo Yīngyǔ de gōngzuò
找一份教英语的工作 zhǎo yí fèn jiāo Yīngyǔ de gōngzuò		我想找一份教英语的工作。 Wǒ xiǎng zhǎo yí fèn jiāo Yīngyǔ de gōngzuò.	

三、替换词语说句子　*Substitution drills*

1. A：你会 教 英语 吗？
   Nǐ huì jiāo Yīngyǔ ma?

   B：不会。
   Bú huì.

说 shuō	汉语 Hànyǔ
做 zuò	饭 fàn
画 huà	中国画 zhōngguóhuà

2. A：他能 和 我们 一起 去 吗？
   Tā néng hé wǒmen yìqǐ qù ma?

   B：不 能。
   Bù néng.

教我汉语 jiāo wǒ Hànyǔ
骑自行车去 qí zìxíngchē qù
翻译这本书 fānyì zhè běn shū

163

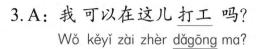

3. A：我 可以 在 这儿 <u>打工</u> 吗？
   Wǒ kěyǐ zài zhèr dǎgōng ma?

   B：不 能。
   Bù néng.

上网
shàngwǎng
打电话
dǎ diànhuà
教英语
jiāo Yīngyǔ

4. A：你 觉得 <u>学 汉语</u> 难 吗？
   Nǐ juéde xué Hànyǔ nán ma?

   B：开始 的 时候 难，现在 不 难 了。
   Kāishǐ de shíhou nán, xiànzài bù nán le.

教英语
jiāo Yīngyǔ
写汉字
xiě Hànzì
和中国人聊天儿
hé Zhōngguó rén liáotiānr

5. A：我 有 一个 <u>语伴</u>，我们 互相
   Wǒ yǒu yí ge yǔbàn, wǒmen hùxiāng

   帮助。
   bāngzhù.

   B：他 教 你 <u>汉语</u>，你 教 他 <u>英语</u>，
   Tā jiāo nǐ Hànyǔ, nǐ jiāo tā Yīngyǔ,

   对 吗？
   duì ma?

   A：对。
   Duì.

语伴	汉语	韩语
yǔbàn	Hànyǔ	Hányǔ
朋友	书法	棒球
péngyou	shūfǎ	bàngqiú
朋友	做饭	画画儿
péngyou	zuò fàn	huà huàr

四、练一练：完成对话 *Complete the following dialogues*

1. A：_____？

   B：不，我 想 找 一个 语伴。
   Bù, wǒ xiǎng zhǎo yí ge yǔbàn.

2. A：你会 教 英语 吗？
   Nǐ huì jiāo Yīngyǔ ma?

   B：＿＿＿＿＿＿＿＿＿＿＿＿＿＿。

   A：你 学过 吗？
   Nǐ xuéguo ma?

   B：＿＿＿＿＿＿＿＿＿＿＿＿＿＿。

3. A：你 为 什么 学习 汉语？
   Nǐ wèi shénme xuéxí Hànyǔ?

   B：＿＿＿＿＿＿＿＿＿＿。你呢？
   Nǐ ne?

   A：＿＿＿＿＿＿＿＿＿＿＿＿＿。

4. A：不会 汉语，能 在 中国 旅行 吗？
   Bú huì Hànyǔ, néng zài Zhōngguó lǚxíng ma?

   B：＿＿＿＿＿＿＿＿＿＿＿＿＿＿。

5. A：学 汉语，发音容易 吗？
   Xué Hànyǔ, fāyīn róngyì ma?

   B：＿＿＿＿＿＿＿＿＿＿＿＿＿＿。

   A：写 汉字 呢？
   Xiě Hànzì ne?

   B：＿＿＿＿＿＿＿＿＿＿＿＿＿＿。

6. A：你为 什么 想 找 一个 语伴？
   Nǐ wèi shénme xiǎng zhǎo yí ge yǔbàn?

   B：＿＿＿＿＿＿＿＿＿＿＿＿＿。

   A：找 语伴 难 吗？
   Zhǎo yǔbàn nán ma?

   B：＿＿＿＿＿＿＿＿＿＿＿＿＿＿。

五、小组活动　*Group work*

看图说一说　Look at the pictures and talk about them.

任务一：根据图片互相问一问、说一说：你会……吗？你能教……吗？

Task 1: Ask and answer questions about the pictures, e.g.: Do you know how to...? Can you teach...?

任务二：互相说一说：你还会什么？你还能教什么？

Task 2: Ask and answer questions about what else you can do and what else you can teach.

六、复习与表达　*Review and presentation*

1. 双人练习：回答问题　Pair work: Ask and answer the following questions.

（1）你 知道 什么 是 语伴 吗？
　　Nǐ zhīdao shénme shì yǔbàn ma?

（2）你有 语伴 吗？
　　Nǐ yǒu yǔbàn ma?

（3）你会 英语 吗？
　　Nǐ huì Yīngyǔ ma?

（4）你会 不会 韩语？
　　Nǐ huì bu huì Hányǔ?

（5）留学生 可以在 中国 打工 吗？
　　Liúxuéshēng kěyǐ zài Zhōngguó dǎgōng ma?

（6）你 能 教 中国人 英语 吗？
　　Nǐ néng jiāo Zhōngguó rén Yīngyǔ ma?

（7）你 为 什么 学 汉语？

Nǐ wéi shénme xué Hànyǔ?

（8）你 觉得 学 汉语 难 吗？

Nǐ juéde xué Hànyǔ nán ma?

（9）你们 上课 的 时候，可以 说 英语 吗？

Nǐmen shàngkè de shíhou, kěyǐ shuō Yīngyǔ ma?

（10）你们 上课 的 时候，能 吃 东西 吗？

Nǐmen shàngkè de shíhou, néng chī dōngxi ma?

（11）你 觉得 在 中国 旅行 方便 吗？

Nǐ juéde zài Zhōngguó lǚxíng fāngbiàn ma?

2. 课堂展示：语段表达　Presentation

说一说你学习汉语的情况。

Say a few sentences about your Chinese learning with the given words and phrases.

参考词语

会	能	可以	开始	以后	觉得
huì	néng	kěyǐ	kāishǐ	yǐhòu	juéde

难	容易	发音	写汉字	说汉语	中国文化
nán	róngyì	fāyīn	xiě Hànzì	shuō Hànyǔ	Zhōngguó wénhuà

教	聊天儿	语伴	知道	互相	帮助
jiāo	liáotiānr	yǔbàn	zhīdao	hùxiāng	bāngzhù

挑战自我
Challenge Yourself

交际任务　*Communication task*

调查：中国朋友觉得学外语难吗？什么难？什么容易？

你的同学觉得学汉语难吗？什么难？什么容易？

初级口语 I　Elementary Speaking Course I

Survey:

Do your Chinese friends think it's difficult to learn a foreign language? Which part is difficult and which is easy?

Do your classmates think it's difficult to learn Chinese? Which part is difficult and which is easy?

朋友 / 同学 péng you/tóngxué	外语 wàiyǔ		汉语 Hànyǔ	
	难 nán	容易 róngyì	难 nán	容易 róngyì

这些话，我能脱口而出

17 圣诞节快到了
Christmas is coming

跟我读，学生词（一） 94

New Words I

1.	快……了	kuài……le		be about to, soon
2.	听说	tīngshuō	*v.*	hear of, be told
3.	过（节）	guò (jié)	*v.*	celebrate (a festival, birthday)
4.	节（日）	jié (rì)	*n.*	holiday or festival
5.	要是	yàoshi	*conj.*	if
6.	父母	fùmǔ	*n.*	parent

专有名词 Proper Nouns

1.	圣诞节	Shèngdàn Jié	Christmas
2.	香港	Xiānggǎng	Hong Kong
3.	哈尔滨	Hā'ěrbīn	Harbin
4.	冰雪节	Bīngxuě Jié	Ice and Snow Festival

课文（一） 95

Text I

（Martin is wondering whether Chinese people celebrate Christmas. He's talking with Jimmy about it.）

马丁：圣诞 节 快 到 了，你们 放假 吗?
Mǎdīng: Shèngdàn Jié kuài dào le, nǐmen fàngjià ma?

吉米：不知道。听说 中国 人 不 过 圣诞 节。
Jímǐ: Bù zhīdào. Tīngshuō Zhōngguó rén bú guò Shèngdàn Jié.

马丁：对，圣诞 节不是 中国 的节日。
Mǎdīng: Duì, Shèngdàn Jié bú shì Zhōngguó de jiérì.

吉米：要是 放假，我 就去旅行，我 想 去 西安和 香港。你呢?
Jímǐ: Yàoshi fàngjià, wǒ jiù qù lǚxíng, wǒ xiǎng qù Xī'ān hé Xiānggǎng. Nǐ ne?

马丁：圣诞 节的 时候，我 父母要来 北京。
Mǎdīng: Shèngdàn Jié de shíhou, wǒ fùmǔ yào lái Běijīng.

吉米：太好了，你 一定 很 高兴。
Jímǐ: Tài hǎo le, nǐ yídìng hěn gāoxìng.

马丁：对，非常 高兴。要是 放假，我 就和他们 一起去哈尔滨。要是 不
Mǎdīng: Duì, fēicháng gāoxìng. Yàoshi fàngjià, wǒ jiù hé tāmen yìqǐ qù Hā'ěrbīn. Yàoshi bú

放假，我们 就在 北京。
fàngjià, wǒmen jiù zài Běijīng.

吉米：听说， 哈尔滨的 冰雪 节特别 有名。
Jímǐ: Tīngshuō, Hā'ěrbīn de Bīngxuě Jié tèbié yǒumíng.

马丁：对， 中国 还有很多 有名 的地方、好玩儿的地方，我 都 想 去。
Mǎdīng: Duì, Zhōngguó hái yǒu hěn duō yǒumíng de dìfang、hǎowánr de dìfang, wǒ dōu xiǎng qù.

吉米：啊，要是 能 放假就太好了。
Jímǐ: À, yàoshi néng fàngjià jiù tài hǎo le.

边学边练　*Practice to learn*

1. _____ kuài dào le.

2. Shèngdàn Jié _____ Zhōngguó de jiérì, _____ Zhōngguó rén bú guò

　 Shèngdàn Jié.

3. Yàoshi _____, Jímǐ jiù qù Xī'ān hé Xiānggǎng _____.

4. Mǎdīng de _____ yào lái Běijīng.

5. Hā'ěrbīn de Bīngxuě Jié tèbié _____.

跟我读，学生词（二） 96

New Words II

1. 下 　　　　　xià 　　　　　*n.* 　　　next, latter

2. （就）要……了 　(jiù) yào……le 　　　be about to, soon

3.	打算	dǎsuan	*n./v.*	plan, consideration; plan (to do)
4.	看	kàn	*v.*	see, pay a visit
5.	结束	jiéshù	*v.*	end, finish
6.	名胜古迹	míngshèng gǔjì		scenic spots and historical sites
7.	也许	yěxǔ	*adv.*	maybe
8.	考试	kǎoshì	*v.*	take an examination

专有名词 Proper Noun

| | 元旦 | Yuándàn | | New Year's Day |

课文（二） 97

Text II

（Dae-Jung and Jimmy are talking about their plan for Christmas and New Year's Day.）

朴大中： 吉米，你 知道 吗，下 个 月 我们 就要 放假 了。
Piáo Dàzhōng: Jímǐ, nǐ zhīdao ma, xià ge yuè wǒmen jiù yào fàngjià le.

吉米： 放假？为 什么？
Jímǐ: Fàngjià? Wèi shénme?

朴大中： 圣诞 节啊，还有 元旦。
Piáo Dàzhōng: Shèngdàn Jié a, hái yǒu Yuándàn.

吉米： 要 放假 了，太好 了。你 有 什么 打算？
Jí mǐ: Yào fàngjià le, tài hǎo le. Nǐ yǒu shénme dǎsuan?

朴大中： 我 打算 去 上海 看 朋友。
Piáo Dàzhōng: Wǒ dǎsuan qù Shànghǎi kàn péngyou.

吉米： 你的 朋友 在 上海？
Jímǐ: Nǐ de péngyou zài Shànghǎi?

朴大中： 对，他在 上海 工作，现在 他的 工作 结束 了，就 要 回国 了。
Piáo Dàzhōng: Duì, tā zài Shànghǎi gōngzuò, xiànzài tā de gōngzuò jiéshù le, jiù yào huí guó le.

圣诞 节 放假，你 打算 去 哪儿？
Shèngdàn Jié fàngjià, nǐ dǎsuan qù nǎr?

吉米：我 打算 去 西安。
Jímǐ: Wǒ dǎsuan qù Xī'ān.

朴大中：听说　西安特别好，有 很 多　名胜　古迹。
Piáo Dàzhōng: Tīngshuō Xī'ān tèbié hǎo, yǒu hěn duō míngshèng gǔjì.

吉米：对。要是 有 时间，我 还 想 去　香港。
Jímǐ: Duì. Yàoshi yǒu shíjiān, wǒ hái xiǎng qù Xiānggǎng.

朴大中：汉娜，你的 打算 是 什么？
Piáo Dàzhōng: Hànnà, nǐ de dǎsuan shì shénme?

汉娜：我 还 没 想 呢。也许去 旅行，也许在家学习，我们 快 考
Hànnà: Wǒ hái méi xiǎng ne. Yěxǔ qù lǚxíng, yěxǔ zài jiā xuéxí, wǒmen kuài kǎo-

试了。
shì le.

边学边练 *Practice to learn*

1. Yīnwèi Shèngdàn Jié hé _____, xià ge yuè _____.

2. Piáo Dàzhōng _____ qù Shànghǎi kàn péngyou.

3. Piáo Dàzhōng de péngyou zài Shànghǎi de gōngzuò _____ le, _____

   huí guó le.

4. Jímǐ xiǎng qù Xī'ān, _____ yǒu shíjiān, tā hái xiǎng qù _____.

5. Xī'ān yǒu hěn duō _____.

功能句
Functional Sentences

【谈论节日】 **Talking about festivals**

1. 圣诞　节快 到 了。
   Shèngdàn Jié kuài dào le.

2. 圣诞　节，还 有 元旦。
   Shèngdàn Jié, hái yǒu Yuándàn.

3. 中国　人不过　圣诞　节。
　　Zhōngguó rén bú guò Shèngdàn Jié.

4. 圣诞　　节不是　中国　的节日。
　　Shèngdàn Jié bú shì Zhōngguó de jiérì.

5. 那儿的　冰雪　节特别　有名。
　　Nàr de Bīngxuě Jié tèbié yǒumíng.

【谈论打算、计划】 **Talking about plans**

1. 要是　放假，我就去旅行。要是不放假，我们　就在北京。
　　Yàoshi fàngjià, wǒ jiù qù lǚxíng. Yàoshi bú fàngjià, wǒmen jiù zài Běijīng.

2. 圣诞　　节的时候，我父母要来北京。
　　Shèngdàn Jié de shíhou, wǒ fùmǔ yào lái Běijīng.

3. 下个月　我们就要放假了。
　　Xià ge yuè wǒmen jiù yào fàngjià le.

4. 你有　什么　打算？
　　Nǐ yǒu shénme dǎsuan?

5. 我打算去上海　看我的朋友。
　　Wǒ dǎsuan qù Shànghǎi kàn wǒ de péngyou.

6. 你的打算是　什么？
　　Nǐ de dǎsuan shì shénme?

【转述】 **Reporting**

1. 听说，　中国　人不过　圣诞　节。
　　Tīngshuō, Zhōngguó rén bú guò Shèngdàn Jié.

2. 听说，　哈尔滨的　冰雪　节特别　有名。
　　Tīngshuō, Hā'ěrbīn de Bīngxuě Jié tèbié yǒumíng.

3. 听说，　西安特别好，有很多　名胜　古迹。
　　Tīngshuō, Xī'ān tèbié hǎo, yǒu hěn duō míngshèng gǔjì.

课堂活动与练习
Classroom Activities and Exercises

一、语音练习　*Pronunciation*　98

shàng　上 last, preceding	Chūn Jié　春节 Spring Festival
Duānwǔ Jié　端午节 Dragon Boat Festival	zhòngyào　重要 important
hánjià　寒假 winter vacation	bànfǎ　办法 method, way

shàng ge yuè　　　　shàng ge xīngqī　　　　shàng ge lǐbài

Chūn Jié kuài dào le.　　Duānwǔ Jié fàngjià ma?　　Jǐ hào fàng hánjià?

Chūn Jié shì zhòngyào de jiérì.　　Zhège bànfǎ hǎo.

二、大声读一读　*Read aloud*

下 xià	下（个）星期 xià (ge) xīngqī	下一站 xià yí zhàn	下个月 xià ge yuè
上 shàng	上（个）星期 shàng (ge) xīngqī	上一站 shàng yí zhàn	上个月 shàng ge yuè
快……了 kuài……le	快八点了。 Kuài bā diǎn le.	快下课了。 Kuài xiàkè le.	快放假了。 Kuài fàngjià le.
快考试了。 Kuài kǎoshì le.	春节快到了。 Chūn Jié kuài dào le.	咱们快到飞机场了吧？ Zánmen kuài dào fēijīchǎng le ba?	
就要……了 jiù yào……le	就要下雨了 jiù yào xià yǔ le	就要回国了 jiù yào huí guó le	就要放寒假了 jiù yào fàng hánjià le
就要来北京了 jiù yào lái Běijīng le	我父母就要来北京了。 Wǒ fùmǔ jiù yào lái Běijīng le.		
过 guò	过圣诞节 guò Shèngdàn Jié	过新年 guò Xīnnián	过生日 guò shēngri
这个周末你怎么过呀？ Zhège zhōumò nǐ zěnme guò ya?		你们过端午节吗？ Nǐmen guò Duānwǔ Jié ma?	
要是……就…… yàoshi……jiù……	要是喜欢就买。 Yàoshi xǐhuan jiù mǎi.	要是有时间就去。 Yàoshi yǒu shíjiān jiù qù.	要是没时间就不去。 Yàoshi méi shíjiān jiù bú qù.

要是放假就去旅行。	要是能放假就太好了。
Yàoshi fàngjià jiù qù lǚxíng.	Yàoshi néng fàngjià jiù tài hǎo le.

也许	也许来	也许不来	他也许不知道。
yěxǔ	yěxǔ lái	yěxǔ bù lái	Tā yěxǔ bù zhīdào.

这也许是个好办法。	这个办法也许可以。
Zhè yěxǔ shì ge hǎo bànfǎ.	Zhège bànfǎ yěxǔ kěyǐ.

三、替换词语说句子　*Substitution drills*

1. A：你们 过 圣诞 节 吗?
　　Nǐmen guò Shèngdàn Jié ma?

　B：过, 圣诞 节 是 很 重要 的 节日。
　　Guò, Shèngdàn Jié shì hěn zhòngyào de jiérì.

元旦	春节
Yuándàn	Chūn Jié
端午节	
Duānwǔ Jié	

2. A：圣诞 节 快 到 了, 你 有 什么
　　Shèngdàn Jié kuài dào le, nǐ yǒu shénme

　　打算?
　　dǎsuan?

　B：我 打算 去 看 朋友。
　　Wǒ dǎsuan qù kàn péngyou.

新年	去旅行
Xīnnián	qù lǚxíng
周末	在家休息
zhōumò	zàijiā xiūxi
寒假	回国看父母
hánjià	huí guó kàn fùmǔ

3. 下 个 月 我们 就要 放假 了。
　　Xià ge yuè wǒmen jiù yào fàngjià le.

工作	回上海
gōngzuò	huí Shànghǎi
去旅行	
qù lǚxíng	

4. 工作 结束了, 他们 就要 回国 了。
　　Gōngzuò jiéshù le, tāmen jiù yào huí guó le.

学习	放假
xuéxí	fàngjià
旅行	回来
lǚxíng	huílai

5. 要是 放假，我们 就去哈尔滨。
　　Yàoshi fàngjià, wǒmen jiù qù Hā'ěrbīn.

有时间	去旅行
yǒu shíjiān	qù lǚxíng
下雨	回家
xià yǔ	huí jiā
觉得太难了	学别的
juéde tài nán le	xué biéde

6. 听说，那儿的 冰雪 节特别 有名。
　　Tīngshuō, nàr de Bīngxuě Jié tèbié yǒumíng.

我们 下星期 放假
wǒmen xià xīngqī fàngjià
他打算 去 旅行
tā dǎsuan qù lǚxíng
她是这儿 最 好 的 老师
tā shì zhèr zuì hǎo de lǎoshī

四、练一练：完成对话　*Complete the following dialogues*

1. A: ＿＿＿＿＿＿＿＿＿＿＿＿。

　 B: 对，你有 什么 打算?
　　 Duì, nǐ yǒu shénme dǎsuan?

2. A: 现在 几点 了?
　　 Xiànzài jǐ diǎn le?

　 B: ＿＿＿＿＿＿＿＿＿＿＿＿。

　 A: 啊，就要 上课 了，我们 去教室 吧。
　　 À, jiù yào shàngkè le, wǒmen qù jiàoshì ba.

3. A: 圣诞　节你们 放假 吗?
　　 Shèngdàn Jié nǐmen fàngjià ma?

　 B: ＿＿＿＿＿＿＿＿＿＿＿＿。

　 A: 元旦　呢?
　　 Yuándàn ne?

　 B: ＿＿＿＿＿＿＿＿＿＿＿＿。

4. A：圣诞　节是　中国　的节日吗？
Shèngdàn Jié shì Zhōngguó de jiérì ma?

B：不是，听说＿＿＿＿＿＿＿＿＿＿＿＿＿。
bú shì, tīngshuō

A：什么　是　中国　最　重要　的节日？
Shénme shì Zhōngguó zuì zhòngyào de jiérì?

B：＿＿＿＿＿＿＿＿＿＿＿＿＿。

5. A：要是　放假，你打算　做　什么？
Yàoshi fàngjià, nǐ dǎsuan zuò shénme?

B：＿＿＿＿＿＿＿＿＿＿＿＿＿。

6. A：＿＿＿＿＿＿＿＿＿＿＿＿＿？

B：要是　有　时间，我　就去　旅行。
Yàoshi yǒu shíjiān, wǒ jiù qù lǚxíng.

A：＿＿＿＿＿＿＿＿＿＿＿＿＿？

B：听说　西安很　好。
Tīngshuō Xī'ān hěn hǎo.

A：对，听说＿＿＿＿＿＿＿＿＿＿＿＿＿。
duì, tīngshuō

7. A：你在　哪儿学习？
Nǐ zài nǎr xuéxí?

B：＿＿＿＿＿＿＿＿＿＿＿＿＿。

A：你的学习　什么　时候　结束？
Nǐ de xuéxí shénme shíhou jiéshù?

B：＿＿＿＿＿＿＿＿＿＿＿＿＿。

A：学习　结束以后，你的打算　是　什么？
Xuéxí jiéshù yǐhòu, nǐ de dǎsuan shì shénme?

B：＿＿＿＿＿＿＿＿＿＿＿＿＿。

五、小组活动　*Group work*

看图说一说　Look at the picture and talk about it.

任务一：互相问一问、说一说图中人物的情况，如他在哪儿、他做什么、什么时候结束、他有什么打算、这些地方有名吗，等等。

Task 1: Ask and answer questions about the person in this picture, e.g.: where he is, what he did, when he finished it, what plan he has, whether these places are famous.

任务二：如果你是这个人，你会有什么打算？

Task 2: Tell your partner what your plan would be if you were this person in the picture.

六、复习与表达　*Review and presentation*

1. 双人练习：回答问题　Pair work: Ask and answer the following questions.

（1）最近 有 什么 节日？
Zuìjìn yǒu shénme jiérì?

（2）你们 放假 吗？
Nǐmen fàngjià ma?

（3）你们 什么 时候 放假？
Nǐmen shénme shíhou fàngjià?

（4）放假 的 时候，你 打算 做 什么？
Fàngjià de shíhou,　nǐ dǎsuan zuò shénme?

（5）你在 哪儿 学习/ 工作?
Nǐ zài nǎr xuéxí / gōngzuò?

（6）你的 学习/ 工作 什么 时候 结束?
Nǐ de xuéxí / gōngzuò shénme shíhou jiéshù?

（7）学习/ 工作 结束 以后，你有 什么 打算?
Xuéxí / gōngzuò jiéshù yǐhòu, nǐ yǒu shénme dǎsuan?

（8）要是 放假，你做 什么? 要是 不放假 呢?
Yàoshi fàngjià, nǐ zuò shénme? Yàoshi bú fàngjià ne?

（9）这个 周末 你有 什么 打算?
Zhège zhōumò nǐ yǒu shénme dǎsuan?

2. 课堂展示：语段表达 Presentation

说一说圣诞节你有什么打算。

Say a few sentences about your plan for Christmas with the given words and sentence patterns.

参考词语和句式

快……了	就要……了	下（个月 / 星期）	节日	过
kuài……le	jiù yào……le	xià (ge yuè / xīngqī)	jiérì	guò

放假	要是……就……	听说	打算	名胜古迹
fàngjià	yàoshi……jiù……	tīngshuō	dǎsuan	míngshèng gǔjì

挑战自我
Challenge Yourself

交际任务 *Communication task*

找中国朋友了解一下中国重要节假日的时间，这些节日是否放假。

Ask your Chinese friends about the important festivals and holidays in China. Get to know the dates of these festivals and whether there are any days off.

节日 jiérì	时间 shíjiān	放假吗 fàngjià ma
元旦	1 月 1 日	放假 1 天

这些话，我能脱口而出

18

我们每天打一个多小时乒乓球
We play pingpong for over an hour every day

New Words I

1.	头	tóu	*n.*	head
2.	疼	téng	*adj.*	painful, aching
3.	病	bìng	*v.*	be ill, be sick
4.	累	lèi	*adj.*	tired
5.	那	nà	*conj.*	well, then, in that case
6.	干	gàn	*v.*	do
7.	作业	zuòyè	*n.*	homework
8.	中文	Zhōngwén	*n.*	Chinese language
9.	自己	zìjǐ	*pron.*	oneself
10.	看法	kànfǎ	*n.*	point of view
11.	这样	zhèyàng	*pron.*	such, like this

课文（一） 100

Text I

（Dae-Jung comes back from work and is talking to Jimmy in their shared flat.）

吉米：大中，你怎么了？
Jímǐ: Dàzhōng, nǐ zěnme le?

朴大中：我头疼。
Piáo Dàzhōng: wǒ tóu téng.

吉米：你病了吗？
Jímǐ: Nǐ bìng le ma?

朴大中：没有。今天工作了一天，太累了。
Piáo Dàzhōng: Méiyǒu. Jīntiān gōngzuòle yì tiān, tài lèi le.

吉米：　那 你 休息 休息 吧。
Jímǐ：　Nà nǐ xiūxi xiūxi ba.

朴大中：　没 关系。你 今天 干 什么 了？
Piáo Dàzhōng：　Méi guānxi. Nǐ jīntiān gàn shénme le?

吉米：　我 在 宿舍 看了 4 个 小时 的 电影。
Jímǐ：　Wǒ zài sùshè kànle sì ge xiǎoshí de diànyǐng.

朴大中：　看 电影？
Piáo Dàzhōng：　Kàn diànyǐng?

吉米：　对，这 是 我们 的 作业，看 中文 电影，说说 自己 的
Jímǐ：　Duì, zhè shì wǒmen de zuòyè, kàn Zhōngwén diànyǐng, shuōshuo zìjǐ de

看法。
kànfǎ.

朴大中：　有 意思，我 喜欢 这样 的 作业。
Piáo Dàzhōng：　Yǒu yìsi, wǒ xǐhuan zhèyàng de zuòyè.

边学边练　*Practice to learn*

1. Piáo Dàzhōng gōngzuòle _____ , tā _____ .

2. Jímǐ jīntiān zài sùshè _____ .

3. Jímǐ de zuòyè shì _____ , hái yào _____ zìjǐ de kànfǎ.

跟我读，学生词（二）　🄝 101

New Words II

1.	给	gěi	*prep.*	for, to
2.	打	dǎ	*v.*	make (a phone call)
3.	跟	gēn	*prep.*	with
4.	多	duō	*num.*	more, over
5.	（一）会儿	(yí) huìr	*n.*	in a moment, a little while
6.	新闻	xīnwén	*n.*	news
7.	听	tīng	*v.*	listen, hear
8.	音乐	yīnyuè	*n.*	music

课文（二） [102]

Text II

（Tomomi called Jimmy several times but couldn't reach him. She meets him on campus this afternoon.）

友美： 吉米，你去 旅行了 吗？
Yǒuměi: Jímǐ,　 nǐ qù lǚxíng le ma?

吉米： 没有 啊。
Jímǐ: Méiyǒu a.

友美： 可是，我 每天　晚上　给你打 电话，你都不在。
Yǒuměi: Kěshì,　wǒ měi tiān wǎnshang gěi nǐ dǎ diànhuà, nǐ dōu bú zài.

吉米： 是 吗？
Jímǐ: Shì ma?

友美： 对，我给你打了四次 电话，不，打了五次，你都不在。
Yǒuměi: Duì, wǒ gěi nǐ dǎle sì cì diànhuà, bù,　dǎle wǔ cì,　nǐ dōu bú zài.

吉米： 哦，我 跟　朋友 一起 去打球了。
Jímǐ: Ò,　 wǒ gēn péngyou yìqǐ　qù dǎ qiú le.

友美： 打 什么 球？ 篮球 吗？
Yǒuměi: Dǎ shénme qiú? Lánqiú ma?

吉米： 不是，我们 每天　晚上 打一个多 小时　乒乓球，8 点多回来。
Jímǐ: Bú shì, wǒmen měi tiān wǎnshang dǎ yí ge duō xiǎoshí pīngpāngqiú, bā diǎn duō huílai.

友美： 你 晚上　还 干 什么？
Yǒuměi: Nǐ wǎnshang hái gàn shénme?

吉米： 上上网，　　有的 时候 跟爸爸妈妈在　网上　聊聊天儿。你呢？
Jímǐ: Shàngshangwǎng, yǒude shíhou gēn bàba māma zài wǎngshang liáoliaotiānr.　Nǐ ne?

友美： 我　晚上　看一会儿 电视 新闻，有的 时候 听听 音乐，看看 书。
Yǒuměi: Wǒ wǎnshang kàn yíhuìr　diànshì xīnwén, yǒude shíhou tīngting yīnyuè,　kànkan shū.

　　　　没有 别的。
　　　　Méiyǒu biéde.

吉米： 下次你也跟 我们 一起 去打球吧。
Jímǐ: Xià cì nǐ yě gēn wǒmen yìqǐ　qù dǎ qiú ba.

友美： 好啊，一定 去。
Yǒuměi: Hǎo a,　yídìng qù.

边学边练 *Practice to learn*

1. Yǒuměi _____ Jímǐ _____ wǔ cì diànhuà, Jímǐ dōu _____.

2. Jímǐ měi tiān wǎnshang _____ yìqǐ dǎ _____ pīngpāngqiú.

3. Jímǐ wǎnshang _____ huílai, yǒude shíhou gēn fùmǔ zài wǎngshang

   _____ .

4. Yǒuměi měi tiān wǎnshang kàn diànshì xīnwén, hái _____, _____.

功能句
Functional Sentences

【谈论身体健康】 **Talking about health**

1. 你 怎么 了?
   Nǐ zěnme le?

2. 你 病 了吗?
   Nǐ bìng le ma?

3. 我 头 疼。
   Wǒ tóu téng.

4. 太 累 了。
   Tài lèi le.

【叙述、说明】 **Narration and explanation**

1. 你 今天 干 什么 了?
   Nǐ jīntiān gàn shénme le?

2. 今天 上了 6个 小时 的课。
   Jīntiān shàngle liù ge xiǎoshí de kè.

3. 我 在宿舍 看了 4个 小时 的 电影。
   Wǒ zài sùshè kànle sì ge xiǎoshí de diànyǐng.

4. 我 给你 打了四次 电话, 你 都 不在。
   Wǒ gěi nǐ dǎle sì cì diànhuà, nǐ dōu bú zài.

【谈论习惯】 **Talking about habits**

1. 我们　每天　晚上　打一个多 小时　乒乓球，8 点 多 回来。
   Wǒmen měi tiān wǎnshang dǎ yí ge duō xiǎoshí pīngpāngqiú, bā diǎn duō huílai.

2. 你　晚上 还干 什么？
   Nǐ wǎnshang hái gàn shénme?

3. 上上网，　　　有的 时候 跟爸爸妈妈在　网上　聊聊天儿。
   Shàngshangwǎng, yǒude shíhou gēn bàba māma zài wǎngshang liáoliaotiānr.

4. 我　晚上 看一会儿 电视 新闻，有的 时候 听听 音乐，看看 书。
   Wǒ wǎnshang kàn yíhuìr diànshì xīnwén, yǒude shíhou tīngting yīnyuè, kànkan shū.

课堂活动与练习
Classroom Activities and Exercises

一、语音练习　*Pronunciation*

děng 等 wait	chànggē 唱歌 sing
sànbù 散步 go for a walk or stroll	tiàowǔ 跳舞 dance

děng yíhuìr　　　chàngchanggē　　　sànsanbù　　　tiàotiaowǔ

Duìbuqǐ, qǐng děng yíhuìr.　　　Měi tiān zǎoshang chàngchanggē.

Měi tiān fàn hòu sànsanbù.　　　Měi tiān wǎnshang tiàotiaowǔ.

二、大声读一读　*Read aloud*

怎么 zěnme	怎么了 zěnme le	怎么样 zěnmeyàng	怎么办 zěnme bàn
咱们怎么去？ Zánmen zěnme qù?		这个，汉语怎么说？ Zhège, Hànyǔ zěnme shuō?	
工作 gōngzuò	工作了一个小时 gōngzuòle yí ge xiǎoshí	工作了一天 gōngzuòle yì tiān	工作了三个月 gōngzuòle sān ge yuè

我们每天工作 8 个小时。 Wǒmen měi tiān gōngzuò bā ge xiǎoshí.	他在中国工作了一年多。 Tā zài Zhōngguó gōngzuòle yì nián duō.
打乒乓球 dǎ pīngpāngqiú	打一个小时（的）乒乓球 dǎ yí ge xiǎoshí (de) pīngpāngqiú
每天打一个小时（的）乒乓球 měi tiān dǎ yí ge xiǎoshí (de) pīngpāngqiú	咱们去打一个小时乒乓球吧。 Zánmen qù dǎ yí ge xiǎoshí pīngpāngqiú ba.

一会儿 yíhuìr	等一会儿 děng yíhuìr	休息一会儿 xiūxi yíhuìr	看一会儿电视 kàn yíhuìr diànshì

他一会儿就回来。 Tā yíhuìr jiù huílai.	坐（一）会儿，休息休息。 Zuò (yí) huìr, xiūxi xiūxi.

想 xiǎng	想想 xiǎngxiang	休息 xiūxi	休息休息 xiūxi xiūxi

运动 yùndòng	运动运动 yùndòng yùndòng	每天都运动运动，很重要。 Měi tiān dōu yùndòng yùndòng, hěn zhòngyào.
散步 sànbù	散散步 sǎnsanbù	看电视 kàn diànshì 看看电视 kànkan diànshì
听音乐 tīng yīnyuè	听听音乐 tīngting yīnyuè	每天晚饭以后，我都散散步。 Měi tiān wǎnfàn yǐhòu, wǒ dōu sǎnsanbù.

电话 diànhuà	打电话 dǎ diànhuà	给你打电话 gěi nǐ dǎ diànhuà	给你打了电话 gěi nǐ dǎle diànhuà

我给你打了两次电话，你都不在。 Wǒ gěi nǐ dǎle liǎng cì diànhuà, nǐ dōu bú zài.	我没给你打过电话。 Wǒ méi gěi nǐ dǎguo diànhuà.

跟 gēn	跟他一起 gēn tā yìqǐ	跟他一起聊天儿 gēn tā yìqǐ liáotiānr	跟他们一起工作 gēn tāmen yìqǐ gōngzuò

跟老师学汉语 gēn lǎoshī xué Hànyǔ	我们跟老师学画中国画。 Wǒmen gēn lǎoshī xué huà zhōngguóhuà.

三、替换词语说句子 *Substitution drills*

1. A：你 怎么 了？
   Nǐ zěnme le?

   B：我 头 疼。
   Wǒ tóu téng.

肚子疼	病了
dùzi téng	bìng le
太累了	
tài lèi le	

2. 他在 上海 工作了一个月，
   Tā zài Shànghǎi gōngzuòle yí ge yuè,
   现在 就要 回 国 了。
   xiànzài jiù yào huí guó le.

北京	学习	放假
Beijīng	xuéxí	fàngjià
中国	旅行	回来
Zhōngguó	lǚxíng	huílai
西安	玩儿	去上海
Xī'ān	wánr	qù Shànghǎi

3. 我 看了四个小时 电影，太
   Wǒ kànle sì ge xiǎoshí diànyǐng, tài
   累了。
   lèi le.

写	一个多小时	作业
xiě	yí ge duō xiǎoshí	zuòyè
骑	两个多小时	自行车
qí	liǎng ge duō xiǎoshí	zìxíngchē
打	一天	电话
dǎ	yì tiān	diànhuà

4. 咱们 看一会儿 电视 吧。
   Zánmen kàn yíhuìr diànshì ba.

看	书
kàn	shū
聊	天儿
liáo	tiānr
听	音乐
tīng	yīnyuè

5. 下课 以后，我 会 在宿舍
   Xiàkè yǐhòu, wǒ huì zài sùshè
   休息休息。
   xiūxi xiūxi.

下班	去商店	逛逛
xiàbān	qù shāngdiàn	guàngguang
回来	在小区	运动运动
huílai	zài xiǎoqū	yùndòng yùndòng
回国	去朋友家	看看
huí guó	qù péngyou jiā	kànkan

6. A：周末 你 都 干 什么？
   Zhōumò nǐ dōu gàn shénme?

   B：跟 朋友 一起 看看 电
   Gēn péngyou yìqǐ kànkan diàn-
   影， 听听 音乐。
   yǐng, tīngting yīnyuè.

唱唱歌	打打球
chàngchanggē	dǎda qiú
聊聊天儿	喝喝咖啡
liáoliaotiānr	hēhe kāfēi
逛逛商店	吃吃饭
guàngguang shāngdiàn	chīchi fàn
跳跳舞	喝喝茶
tiàotiaowǔ	hēhe chá

四、练一练：完成对话 *Complete the following dialogues*

1. A：＿＿＿＿＿＿＿＿＿＿＿。
   B：我 头 疼。
      Wǒ tóu téng.

2. A：你病 了吗？
      Nǐ bìng le ma?
   B：＿＿＿＿＿＿＿＿＿＿＿。

3. A：我 太累 了。
      Wǒ tài lèi le.
   B：＿＿＿＿＿＿＿＿＿＿＿。
   A：好。
      Hǎo.

4. A：＿＿＿＿＿＿＿＿＿＿？

   B：我下午写作业了。
   Wǒ xiàwǔ xiě zuòyè le.

   A：你写了多长时间？
   Nǐ xiěle duō cháng shíjiān?

   B：＿＿＿＿＿＿＿＿＿＿。

5. A：你每天晚上做什么？
   Nǐ měi tiān wǎnshang zuò shénme?

   B：＿＿＿＿＿＿＿＿＿＿。

   A：你看多长时间电视？
   Nǐ kàn duō cháng shíjiān diànshì?

   B：＿＿＿＿＿＿＿＿＿＿。

6. A：我们每天都去打一个小时篮球。
   Wǒmen měi tiān dōu qù dǎ yí ge xiǎoshí lánqiú.

   B：＿＿＿＿＿＿＿＿＿＿？

   A：当然，欢迎。
   Dāngrán, huānyíng.

7. A：你今天几点下课？
   Nǐ jīntiān jǐ diǎn xiàkè?

   B：＿＿＿＿＿＿＿＿＿＿。

   A：那你几点回来？
   Nà nǐ jǐ diǎn huílai?

   B：＿＿＿＿＿＿＿＿＿＿。

   A：好的，我们等你一起吃饭。
   Hǎo de, wǒmen děng nǐ yìqǐ chī fàn.

五、小组活动　*Group work*

看图说一说　Look at the picture and talk about it.

8:00-9:30
上课

9:30-10:00
休息

10:00-11:30
上课

12:00-14:00
午饭、休息、跟朋友聊天儿

14:00-15:30
上课

16:30-17:30
打篮球、打乒乓球

18:00-19:00
写作业

19:30-20:45
吃晚饭、看电视

21:00-22:00
上网、打电话

任务一：互相问一问、说一说图中人物一天的情况，如他什么时候做什么、做多长时间，等等。

Task 1: Look at the picture about a day of someone. Ask and answer questions about what he does, when and how long he does them.

任务二：互相说一说你们自己每天的时间安排。

Task 2: Talk about your everyday schedule.

六、复习与表达　*Review and presentation*

1. 双人练习：回答问题　Pair work: Ask and answer the following questions.

（1）他 怎么 了?
Tā zěnme le?

（2）他 病 了吗?
Tā bìng le ma?

（3）你 每 天 运动 吗?
Nǐ měi tiān yùndòng ma?

（4）你 每 天 运动 多 长 时间?
Nǐ měi tiān yùndòng duō cháng shíjiān?

（5）你 今天 干 什么 了?
Nǐ jīntiān gàn shénme le?

（6）你 今天 上了 多 长 时间 的 课？

　　 Nǐ jīntiān shàngle duō cháng shíjiān de kè?

（7）你 有 作业 吗？你 的 作业 是 什么？

　　 Nǐ yǒu zuòyè ma? Nǐ de zuòyè shì shénme?

（8）你 每 天 晚上 做 什么？

　　 Nǐ měi tiān wǎnshang zuò shénme?

（9）你 每 天 看 多 长 时间 电视？

　　 Nǐ měi tiān kàn duō cháng shíjiān diànshì?

（10）你 喜欢 看 电视 新闻 吗？

　　 Nǐ xǐhuan kàn diànshì xīnwén ma?

（11）你 喜欢 在 网上 聊天儿 吗？

　　 Nǐ xǐhuan zài wǎngshang liáotiānr ma?

（12）你 每 个 星期 给 父母 打 电话 吗？

　　 Nǐ měi ge xīngqī gěi fùmǔ dǎ diànhuà ma?

（13）你 周末 都 做 什么？

　　 Nǐ zhōumò dōu zuò shénme?

（14）这个 周末 你 打算 怎么 过？

　　 Zhège zhōumò nǐ dǎsuan zěnme guò?

2. 课堂展示：语段表达　Presentation

说一说你的这个周末。

Say a few sentences about your weekend with the given words and sentence patterns.

参考词语和句式

累	作业	从……到……	看	听	聊天儿
lèi	zuòyè	cóng……dào……	kàn	tīng	liáotiānr

打球	给……打电话	跟……一起	一会儿
dǎ qiú	gěi……dǎ diànhuà	gēn……yìqǐ	yíhuìr

挑战自我
Challenge Yourself

交际任务 *Communication task*

调查几个中国朋友，了解一下中国人的周末都怎么过。

Make a survey among a few of your Chinese friends on how Chinese people spend their

weekends.

谁 shéi	什么时候 shénme shíhou	做什么 zuò shénme

这些话，我能脱口而出

19 电脑已经修好了

The computer is fixed

跟我读，学生词（一）

New Words I

1.	完	wán	*v.*	finish
2.	帮（忙）	bāng (máng)	*v.*	help, give a hand
3.	老	lǎo	*adv.*	often, regularly
4.	死机	sǐjī	*v.*	(of a computer) crash
5.	修	xiū	*v.*	repair
6.	已经	yǐjīng	*adv.*	already
7.	刚才	gāngcái	*n.*	just now, a moment ago
8.	开机	kāijī	*v.*	start up
9.	行	xíng	*v.*	be all right, will do
10.	打开	dǎkāi	*v.*	open, turn on
11.	电源	diànyuán	*n.*	power source
12.	忘	wàng	*v.*	forget

课文（一）

Text I

（Hannah is calling Martin to ask for help.）

汉娜：你 写完 作业 了 吗？
Hànnà: Nǐ xiěwán zuòyè le ma?

马丁：写完 了，今天 作业 不 多。
Mǎdīng: Xiěwán le， jīntiān zuòyè bù duō.

汉娜：你 能 帮帮忙 吗？
Hànnà: Nǐ néng bāngbangmáng ma?

193

马丁：当然 可以。怎么 了，你 说 吧。
Mǎdīng: Dāngrán kěyǐ. Zěnme le, nǐ shuō ba.

汉娜：我们 房间 的 电脑 坏 了，老死机，你 能 帮 我们 修修 吗？
Hànnà: Wǒmen fángjiān de diànnǎo huài le, lǎo sǐjī, nǐ néng bāng wǒmen xiūxiu ma?

马丁：你的 同屋 中午 给 我 打 电话 了，我 修过 了，已经 修好 了。
Mǎdīng: Nǐ de tóngwū zhōngwǔ gěi wǒ dǎ diànhuà le, wǒ xiūguo le, yǐjīng xiūhǎo le.

汉娜：没 修好，我 刚才 想 开机，可是 还 不 行。
Hànnà: Méi xiūhǎo, wǒ gāngcái xiǎng kāijī, kěshì hái bù xíng.

马丁：你 打开 电源 了 吗？
Mǎdīng: Nǐ dǎkāi diànyuán le ma?

汉娜：电源？ 噢，我 忘了，我 没打开 电源。现在 好 了，谢谢。
Hànnà: Diànyuán? Ō, wǒ wàng le, wǒ méi dǎkāi diànyuán. Xiànzài hǎo le, xièxie.

边学边练 *Practice to learn*

1. Mǎdīng jīntiān de _____ bù duō, tā yǐjīng _____ le.

2. Hànnà fángjiān de diànnǎo _____, lǎo _____.

3. Mǎdīng yǐjīng _____ le diànnǎo.

4. Hànnà wàngle dǎkāi _____, xiànzài tā zhīdao le.

跟我读，学生词（二） 106

New Words II

1.	这么	zhème	*pron.*	so, such
2.	拿	ná	*v.*	take, hold
3.	包	bāo	*n.*	bag, sack
4.	装	zhuāng	*v.*	load, pack
5.	试	shì	*v.*	try
6.	满	mǎn	*adj.*	full, filled
7.	快递	kuàidì	*n.*	express delivery, courier
8.	书店	shūdiàn	*n.*	bookshop

9.	服务	fúwù	v.	serve, give service to
10.	问	wèn	v.	ask
11.	用	yòng	v.	(*usually in the negative*) need, have to

课文（二）　107

Text II

（Tomomi and Li Xue are in a bookstore. Tomomi has bought a lot of books.）

李雪：　友美，你买了这么多书，怎么拿呀？
Lǐ Xuě：　Yǒuměi, nǐ mǎile zhème duō shū, zěnme ná ya?

友美：　我的包还有地方，再装　三四本
Yǒuměi：　Wǒ de bāo hái yǒu dìfang, zài zhuāng sān-sì běn

　　　没问题。
　　　méi wèntí.

李雪：　那试试吧。不行，包已经　装满
Lǐ Xuě：　Nà shìshi ba. Bù xíng, bāo yǐjīng zhuāngmǎn

　　　了，可是还有七八本呢。
　　　le, kěshì hái yǒu qī-bā běn ne.

友美：　那怎么办呢？
Yǒuměi：　Nà zěnme bàn ne?

李雪：　我们　找　快递吧。
Lǐ Xuě：　Wǒmen zhǎo kuàidì ba.

友美：　这儿有快递公司吗？
Yǒuměi：　Zhèr yǒu kuàidì gōngsī ma?

李雪：　很多书店都有快递服务。我们去问问。
Lǐ Xuě：　Hěn duō shūdiàn dōu yǒu kuàidì fúwù. Wǒmen qù wènwen.

友美：　要是　能快递就太好了，我们就不用自己拿了。
Yǒuměi：　Yàoshi néng kuàidì jiù tài hǎo le, wǒmen jiù búyòng zìjǐ ná le.

边学边练　*Practice to learn*

1. Yǒuměi mǎile hěn duō shū, bù zhīdào zěnme _____.

2. Yǒuměi de bāo yǐjīng _____ le, kěshì _____ qī-bā běn ne.

3. Lǐ Xuě shuō, kěyǐ zhǎo _____.

4. Hěn duō shūdiàn dōu yǒu kuàidì _____.

5. Yǒuměi shuō, yàoshi néng kuàidì jiù _____ zìjǐ ná le.

功能句
Functional Sentences

【询问】　**Inquiry**

1. 你写完作业了吗?
   Nǐ xiěwán zuòyè le ma?

2. 你打开电源了吗?
   Nǐ dǎkāi diànyuán le ma?

3. 你买了这么多书, 怎么拿呀?
   Nǐ mǎile zhème duō shū, zěnme ná ya?

4. 这儿有快递吗?
   Zhèr yǒu kuàidì ma?

【请求帮助】　**Asking for help**

1. 你能帮帮忙吗?
   Nǐ néng bāngbangmáng ma?

2. 你能帮我们修修吗?
   Nǐ néng bāng wǒmen xiūxiu ma?

课堂活动与练习
Classroom Activities and Exercises

一、语音练习 *Pronunciation*

xǐyījī 洗衣机 washing machine		xiāngzi 箱子 box, case	
bēizi 杯子 cup, glass		yīguì 衣柜 wardrobe, cupboard	

yì tái xǐyījī   yí ge xiāngzi   liǎng ge bēizi   yí ge yīguì

mǎile yì tái xǐyījī   nàr yǒu yí ge xiāngzi   liǎng ge xīn bēizi   yí ge dà yīguì

二、大声读一读 *Read aloud*

完 wán	写完 xiěwán	写完作业 xiěwán zuòyè	
喝完 hēwán	喝完一瓶水 hēwán yì píng shuǐ	我已经看完这本书了。 Wǒ yǐjīng kànwán zhè běn shū le.	
修 xiū	修修 xiūxiu	修完 xiūwán	修完了 xiūwán le
车修好了吗？ Chē xiūhǎo le ma?		你的车修好了。 Nǐ de chē xiūhǎo le.	
帮 bāng	帮帮我 bāngbang wǒ	帮我修修电脑吧。 bāng wǒ xiūxiu diànnǎo ba.	
帮忙 bāngmáng	帮个忙 bāng ge máng	能帮我个忙吗？ Néng bāng wǒ ge máng ma?	
这么 zhème	这么多 zhème duō	这么累 zhème lèi	这么高兴 zhème gāoxìng
你今天怎么这么高兴？ Nǐ jīntiān zěnme zhème gāoxìng?		这么好玩儿的作业。 Zhème hǎowánr de zuòyè.	
用 yòng	不用 búyòng	我们不用去。 Wǒmen búyòng qù.	
用汉语 yòng Hànyǔ	用汉语说 yòng Hànyǔ shuō	用汉语怎么说？ Yòng Hànyǔ zěnme shuō?	

三四本书	五六个人	两三年	八九天
sān-sì běn shū	wǔ-liù ge rén	liǎng-sān nián	bā-jiǔ tiān
出去两三个小时		我两三个星期就回来。	
chūqu liǎng-sān ge xiǎoshí		Wǒ liǎng-sān ge xīngqī jiù huílai.	

三、替换词语说句子 *Substitution drills*

1. A: 你 <u>写完</u> <u>作业</u> 了吗？

   Nǐ xiěwán zuòyè le ma?

   B: 还 没 写完。 你呢？

   Hái méi xiěwán. Nǐ ne?

吃	饭
chī	fàn
看	那本书
kàn	nà běn shū
上	课
shàng	kè

2. 我 已经 <u>打完</u> <u>电话</u> 了。

   Wǒ yǐjīng dǎwán diànhuà le.

搬	家
bān	jiā
做	作业
zuò	zuòyè
吃	早饭
chī	zǎofàn

3. A: 你 能 帮 我 <u>修 电脑</u> 吗？

   Nǐ néng bāng wǒ xiū diànnǎo ma?

   B: 行， 没 问题。

   Xíng, méi wèntí.

搬家
bānjiā
找个语伴
zhǎo ge yǔbàn
给他打个电话
gěi tā dǎ ge diànhuà

4. A: 我 的 <u>电脑</u> 坏 了， 你 能 帮 我 修修 吗？

   Wǒ de diànnǎo huài le, nǐ néng bāng wǒ xiūxiu ma?

   B: 已经 修好 了， 能 用 了。

   Yǐjīng xiūhǎo le, néng yòng le.

手机	自行车
shǒujī	zìxíngchē
洗衣机	
xǐyījī	

5. 书 太 多 了，书包 已经 装满 了。
   Shū tài duō le, shūbāo yǐjīng zhuāngmǎn le.

衣服	衣柜
yīfu	yīguì
东西	箱子
dōngxi	xiāngzi
水	杯子
shuǐ	bēizi

6. A: 你 看过 几个 中国   电影?
   Nǐ kànguo jǐ ge Zhōngguó diànyǐng?

   B: 四五个。
   Sì-wǔ ge.

用过	手机
yòngguo	shǒujī
买了	苹果
mǎile	píngguǒ
碰见	人
pèngjiàn	rén

四、练一练：完成对话 *Complete the following dialogues*

1. A: _____?

   B: 还 没 写完。
   Hái méi xiěwán.

2. A: _____?

   B: 当然 可以。
   Dāngrán kěyǐ.

3. A: _____?

   B: 对不起，我 不会 修 电脑。
   Duìbuqǐ, wǒ bú huì xiū diànnǎo.

4. A: 你还要 水 吗?
   Nǐ hái yào shuǐ ma?

   B: 不要了，_____。
   bú yào le

5. A：我　能　用用　你的　电脑　吗?
　　Wǒ néng yòngyong nǐ de diànnǎo ma?

　B：对不起，_____ 。
　　duìbuqǐ

6. A：你 有 几个　中国　朋友?
　　Nǐ yǒu jǐ ge Zhōngguó péngyou?

　B：_____ 。

7. A：你 怎么 去 学校?
　　Nǐ zěnme qù xuéxiào?

　B：_____ 。

　A：要 多 长 时间?
　　Yào duō cháng shíjiān?

　B：_____ 。

8. A：你 为 什么 这么 高兴?
　　Nǐ wèi shénme zhème gāoxìng?

　B：_____ 。

9. A：你的 自行车 怎么 了?
　　Nǐ de zìxíngchē zěnme le?

　B：_____ 。

五、小组活动　*Group work*

看图说一说　Look at the pictures and talk about them.

任务一：互相问一问、说一说图中发生了什么情况。

Task 1: Ask and answer questions about what's happening in each picture.

任务二：选择一种情况，请朋友帮忙。

Task 2: Choose one of the situations above and ask your friend for help.

六、复习与表达　*Review and presentation*

1. 双人练习：回答问题　Pair work: Ask and answer the following questions.

（1）你 今天 的 作业 多 吗？
　　Nǐ jīntiān de zuòyè duō ma?

（2）你 写完 了 吗？
　　Nǐ xiěwán le ma?

（3）我 的 手机 坏 了，怎么 办？
　　Wǒ de shǒujī huài le, zěnme bàn?

（4）你 会 修 手机 吗？
　　Nǐ huì xiū shǒujī ma?

（5）你 能 帮 我 打 一 个 电话 吗？
　　Nǐ néng bāng wǒ dǎ yí ge diànhuà ma?

（6）我 的 电脑 不 能 开机，怎么 办？
　　Wǒ de diànnǎo bù néng kāijī, zěnme bàn?

（7）每 个 班 有 多少 个 学生？
　　Měi ge bān yǒu duōshao ge xuésheng?

（8）你 每 天 学习 几 个 小时？
　　Nǐ měi tiān xuéxí jǐ ge xiǎoshí?

（9）这儿 有 快递 公司 吗？
　　Zhèr yǒu kuàidì gōngsī ma?

（10）你 知道 快递 公司 的 电话 吗？
　　Nǐ zhīdao kuàidì gōngsī de diànhuà ma?

（11）快递　方便　吗？

Kuàidì fāngbiàn ma?

2. 课堂展示：语段表达　Presentation

说一说你用电脑、手机等东西时遇到的问题。

Say a few sentences about the problems you've had when you used computers, mobile phones, etc. with the given words and sentence patterns.

> **参考词语和句式**
>
> | 老 | 死机 | 电源 | 打开 | 修 |
> |---|---|---|---|---|
> | lǎo | sǐjī | diànyuán | dǎkāi | xiū |
>
> | 忘 | 帮（忙） | 这么 | 试 | 用 |
> |---|---|---|---|---|
> | wàng | bāng (máng) | zhème | shì | yòng |
>
> | 要是……就…… | 怎么办 |
> |---|---|
> | yàoshi……jiù…… | zěnme bàn |

挑战自我
Challenge Yourself

交际任务　*Communication task*

小调查：了解一下你的老师、同学用过多少个手机，手机一般有什么问题。

Survey: Ask your teachers and classmates about how many mobile phones they have used and what common problems they have with their phones.

这些话，我能脱口而出

20 把照片贴在墙上
Stick the photographs on the wall

跟我读，学生词（一） 109

New Words I

1.	舒服	shūfu	*adj.*	comfortable
2.	有点儿	yǒudiǎnr	*adv.*	a bit, a little, slightly
3.	乱	luàn	*adj.*	in disorder, in a mess
4.	收拾	shōushi	*v.*	tidy, put in order
5.	一下	yíxià		*used after a verb to indicate one action or one try*
6.	把	bǎ	*prep.*	*used in "A (Subject) + 把 + B (Object) + Verb+..." sentence*
7.	桌子	zhuōzi	*n.*	table
8.	放	fàng	*v.*	put
9.	窗户	chuānghu	*n.*	window
10.	张	zhāng	*m.*	*for paper, paintings, beds, tables, etc.*
11.	挂	guà	*v.*	put up, hang
12.	墙	qiáng	*n.*	wall
13.	照片	zhàopiàn	*n.*	photograph, picture
14.	贴	tiē	*v.*	paste, stick
15.	看见	kànjiàn	*v.*	catch sight of, see

课文（一） 110

Text I

(Martin comes back from Tomomi's room and he is talking to his roommate.)

马丁： 我 刚才 去了 友美的 房间，她的 房间 又 干净 又 舒服。
Mǎdīng: Wǒ gāngcái qùle Yǒuměi de fángjiān, tā de fángjiān yòu gānjìng yòu shūfu.

同屋：我们 的 房间 也很 舒服啊。
Tóngwū: Wǒmen de fángjiān yě hěn shūfu a.

马丁：我们 的 房间 有点儿 乱。我们 收拾 一下，好 吗?
Mǎdīng: Wǒmen de fángjiān yǒudiǎnr luàn. Wǒmen shōushi yíxià, hǎo ma?

同屋：好，怎么 收拾，你 说 吧。
Tóngwū: Hǎo, zěnme shōushi, nǐ shuō ba.

马丁：咱们 把桌子 放 在 窗户 前边 吧。
Mǎdīng: Zánmen bǎ zhuōzi fàng zài chuānghu qiánbian ba.

同屋：好。衣柜 放 哪儿?
Tóngwū: Hǎo. Yīguì fàng nǎr?

马丁：我们 把 两 个 衣柜 放 在一起，怎么样?
Mǎdīng: Wǒmen bǎ liǎng ge yīguì fàng zài yìqǐ, zěnmeyàng?

同屋：行。我们 可以 买 张 画儿 挂在 墙 上。
Tóngwū: Xíng. Wǒmen kěyǐ mǎi zhāng huàr guà zài qiáng shang.

马丁：不用，把 我们 的 照片 贴在 这儿 吧。
Mǎdīng: Búyòng, bǎ wǒmen de zhàopiàn tiē zài zhèr ba.

同屋：对，把 我们 和 朋友 的 照片 都 贴在 这儿，他们 一进来 就 能
Tóngwū: Duì, bǎ wǒmen hé péngyou de zhàopiàn dōu tiē zài zhèr, tāmen yí jìnlai jiù néng

看见。
kànjiàn.

边学边练 *Practice to learn*

1. Yǒuměi de fángjiān _____.

2. Mǎdīng juéde zìjǐ de fángjiān yǒudiǎnr _____.

3. Mǎdīng hé tóngwū yìqǐ _____ fángjiān.

4. Tāmen bǎ _____ fàng zài chuānghu qiánbian, bǎ liǎng ge _____ fàng zài
   yìqǐ, tāmen hái dǎsuan bǎ zhàopiàn tiē zài _____.

跟我读，学生词（二）　111

New Words II

1.	欢迎	huānyíng	*v.*	welcome
2.	啊	à	*int.*	ah, oh (*expressing surprise and admiration*)
3.	以前	yǐqián	*n.*	before
4.	一样	yíyàng	*adj.*	same
5.	门	mén	*n.*	door
6.	椅子	yǐzi	*n.*	chair
7.	换	huàn	*v.*	change
8.	整齐	zhěngqí	*adj.*	in good order, tidy
9.	棒	bàng	*adj.*	excellent, good
10.	主意	zhǔyi	*n.*	idea

课文（二）　112

Text II

（Hannah comes to visit Martin again.）

马丁：欢迎，　请 进。
Mǎdīng：Huānyíng, qǐng jìn.

汉娜：啊，这 是 你们 的 房间 吗?
Hànnà：À, zhè shì nǐmen de fángjiān ma?

马丁：当然　是 我们 的 房间 了。
Mǎdīng：Dāngrán shì wǒmen de fángjiān le.

汉娜：你们 的 房间　跟 以前 不 一样 了。
Hànnà：Nǐmen de fángjiān gēn yǐqián bù yíyàng le.

马丁：对，我们 把 衣柜 搬到 门 后边 了，桌子、椅子 也 换了 地方。
Mǎdīng：Duì, wǒmen bǎ yīguì bāndào mén hòubian le, zhuōzi、 yǐzi yě huànle dìfang.

汉娜：现在 你们 的 房间 又 干净 又 整齐。
Hànnà：Xiànzài nǐmen de fángjiān yòu gānjìng yòu zhěngqí.

马丁： 我们 收拾了五六个 小时 呢。
Mǎdīng: Wǒmen shōushile wǔ-liù ge xiǎoshí ne.

汉娜： 啊，你们把 照片 都 贴在 墙 上 了？这么 多 照片。
Hànnà: À, nǐmen bǎ zhàopiàn dōu tiē zài qiáng shang le? Zhème duō zhàopiàn.

马丁： 你看，还 有 你的 呢。
Mǎdīng: Nǐ kàn, hái yǒu nǐ de ne.

汉娜： 这 是 我们 在 火车 上，还 有 我们 的 中国 朋友。太 棒 了！
Hànnà: Zhè shì wǒmen zài huǒchē shang, hái yǒu wǒmen de Zhōngguó péngyou. Tài bàng le!

马丁： 这 是 我的主意， 把 照片 都 贴 在 墙 上。看，衣柜 上 也有。
Mǎdīng: Zhè shì wǒ de zhǔyi, bǎ zhàopiàn dōu tiē zài qiáng shang. Kàn, yīguì shang yě yǒu.

汉娜： 啊，衣柜 上 都 贴满 了。好主意，我 回去 也把 照片 贴在 墙 上。
Hànnà: À, yīguì shang dōu tiēmǎn le. Hǎo zhǔyi, wǒ huíqu yě bǎ zhàopiàn tiē zài qiáng shang.

边学边练 *Practice to learn*

1. Mǎdīng de fángjiān gēn _____ bù yíyàng le, xiànzài _____ .

2. Tāmen bǎ yīguì _____ mén hòubian le, bǎ zhàopiàn _____ qiáng shang.

3. Zhè shì Mǎdīng de _____ .

4. Tāmen de yīguì shang yě _____ le zhàopiàn.

功能句
Functional Sentences

【评价】 **Making comments**

1. 他们 的 房间 又 干净 又 舒服。
   Tāmen de fángjiān yòu gānjìng yòu shūfu.

2. 我们 的 房间 有点儿 乱。
   Wǒmen de fángjiān yǒudiǎnr luàn.

3. 太 棒 了！
   Tài bàng le!

4. 好 主意。
   Hǎo zhǔyi.

【比较】 Making comparison

1. 我们　的 房间 有点儿 乱。
   Wǒmen de fángjiān yǒudiǎnr luàn.

2. 你们 的 房间 跟 以前不一样了。
   Nǐmen de fángjiān gēn yǐqián bù yíyàng le.

【商量】 Discussion

1. 我们　收拾 一下，好 吗?
   Wǒmen shōushi yíxià,　hǎo ma?

2. 咱们　把 桌子 放在　窗户　前边 吧。
   Zánmen bǎ zhuōzi fàng zài chuānghu qiánbian ba.

3. 我们　把 两 个 衣柜 放 在一起，怎么样?
   Wǒmen bǎ liǎng ge yīguì fàng zài yìqǐ,　zěnmeyàng?

课堂活动与练习
Classroom Activities and Exercises

一、语音练习 *Pronunciation* 　113

shūjià　书架 bookshelf	cídiǎn　词典 dictionary	búcuò　不错 not bad

xīn shūjià	Yīng-Hàn cídiǎn	Zhè běn shū búcuò.
Zhè shì wǒ de xīn shūjià.	Zhè shì wǒ de Yīng-Hàn cídiǎn.	Zhè běn cídiǎn búcuò.

二、大声读一读 *Read aloud*

有点儿	有点儿乱	有点儿贵	有点儿难
yǒudiǎnr	yǒudiǎnr luàn	yǒudiǎnr guì	yǒudiǎnr nán
有点儿不容易		我今天有点儿不舒服。	
yǒudiǎnr bù róngyì		Wǒ jīntiān yǒudiǎnr bù shūfu.	
一下	看一下	听一下	试一下
yíxià	kàn yíxià	tīng yíxià	shì yíxià

你等一下，我一分钟就来。 Nǐ děng yíxià, wǒ yì fēnzhōng jiù lái.		你看一下，这个是不是你的? Nǐ kàn yíxià, zhège shì bu shì nǐ de?	
放 fàng	放在 fàng zài	放在桌子上 fàng zài zhuōzi shang	
把衣服放在衣柜里 bǎ yīfu fàng zài yīguì li		我把词典放在书架上了。 Wǒ bǎ cídiǎn fàng zài shūjià shang le.	
搬 bān	搬到 bāndào	搬到后边 bāndào hòubian	搬到门后边 bāndào mén hòubian
把衣柜搬到门后边 bǎ yīguì bāndào mén hòubian		我搬到花园小区去住了。 Wǒ bāndào Huāyuán Xiǎoqū qù zhù le.	
主意 zhǔyi	好主意 hǎo zhǔyi	他的主意 tā de zhǔyi	这是谁的主意? Zhè shì shéi de zhǔyi?
你有好主意吗? Nǐ yǒu hǎo zhǔyi ma?		这个主意真不错! Zhège zhǔyi zhēn búcuò!	

三、替换词语说句子　*Substitution drills*

1. 这个　房间　有点儿　乱。
   Zhège fángjiān yǒudiǎnr luàn.

这儿的房租 zhèr de fángzū	贵 guì
他的家 tā de jiā	远 yuǎn
今天 jīntiān	累 lèi

2. A：他　怎么了?
   Tā zěnme le?

   B：他　有点儿　累。
   Tā yǒudiǎnr lèi.

不舒服 bù shūfu	不高兴 bù gāoxìng
头疼 tóu téng	

3. A：你 收拾 一下 吧。
   Nǐ shōushi yíxià ba.

   B：行。
   Xíng.

说	等
shuō	děng
试	
shì	

4. A：你 想 把 桌子 放在 哪儿？
   Nǐ xiǎng bǎ zhuōzi fàng zài nǎr?

   B：我 想 把 桌子 放在 窗
   Wǒ xiǎng bǎ zhuōzi fàng zài chuāng-

   户 前边。
   hu qiánbian.

椅子	桌子旁边
yǐzi	zhuōzi pángbiān
衣服	衣柜里边
yīfu	yīguì lǐbian
自行车	外边
zìxíngchē	wàibian

5. A：这么 多 照片，怎么办？
   Zhème duō zhàopiàn, zěnme bàn?

   B：贴在 墙 上，怎么样？
   Tiē zài qiáng shang, zěnmeyàng?

   A：这个 主意不错。
   Zhège zhǔyi búcuò.

书	放在	书架上
shū	fàng zài	shūjià shang
衣服	装到	箱子里
yīfu	zhuāngdào	xiāngzi li
椅子	搬到	教室外边
yǐzi	bāndào	jiàoshì wàibian

6. A：这 是不是你的衣柜？
   Zhè shì bu shì nǐ de yīguì?

   B：我 的衣柜跟 这个不一样，
   Wǒ de yīguì gēn zhège bù yíyàng,

   这个 不是我的。
   zhège bú shì wǒ de.

电脑	词典
diànnǎo	cídiǎn
手机	
shǒujī	

四、练一练：完成对话 *Complete the following dialogues*

1. A：我们 的 房间 有点儿 乱。
   Wǒmen de fángjiān yǒudiǎnr luàn.

   B：对，那我们＿＿＿＿＿＿＿＿＿吧。
   duì, nà wǒmen ＿＿＿＿＿＿＿ ba

210

A：好。
Hǎo.

2. A：墙　上　没有　东西不好看。
Qiáng shang méiyǒu dōngxi bù hǎokàn.

B：＿＿＿＿＿＿＿＿＿＿＿＿＿。

A：好 主意。
Hǎo zhǔyi.

3. A：你要把书 放在 箱子里吗？
Nǐ yào bǎ shū fàng zài xiāngzi li ma?

B：不，＿＿＿＿＿＿＿＿＿＿＿＿＿。
bù

4. A：我们 把 照片＿＿＿＿＿＿＿＿＿＿＿＿＿，怎么样？
wǒmen bǎ zhàopiàn　　　　　　　　　zěnmeyàng

B：好啊，这样 一进来＿＿＿＿＿＿＿＿＿＿＿。
hǎo a, zhèyàng yí jìnlai

5. A：我 的词典是　中文 和 英文 的。你的呢？
Wǒ de cídiǎn shì Zhōngwén hé Yīngwén de. Nǐ de ne?

B：＿＿＿＿＿＿＿＿＿＿＿＿＿。

6. A：我 每天 都 打一个小时 篮球，你做 什么　运动？
Wǒ měi tiān dōu dǎ yí ge xiǎoshí lánqiú, nǐ zuò shénme yùndòng?

B：＿＿＿＿＿＿＿＿＿＿＿＿＿。

7. A：你最近 怎么样？
Nǐ zuìjìn zěnmeyàng?

B：＿＿＿＿＿＿＿＿＿＿＿＿＿。

A：那你 休息休息吧。
Nà nǐ xiūxi xiūxi ba.

五、小组活动　*Group work*

看图说一说　Look at the picture and talk about it.

任务一：互相问一问、说一说图中都有什么、都在哪里、对房间的评价。

Task 1: Ask and answer questions about what are in the room and where they are, and make comments on the room.

任务二：这个房间有点儿乱，你打算怎么收拾？

Task 2: Talk about how you're going to tidy up this room.

六、复习与表达　*Review and presentation*

1. 双人练习：回答问题　Pair work: Ask and answer the following questions.

（1）你的 房间 怎么样？
Nǐ de fángjiān zěnmeyàng?

（2）你最近 收拾 房间 了吗？
Nǐ zuìjìn shōushi fángjiān le ma?

（3）你的 房间 / 公寓 整齐 吗？
Nǐ de fángjiān / gōngyù zhěngqí ma?

（4）我 的 房间 有点儿乱，怎么 办？
Wǒ de fángjiān yǒudiǎnr luàn，zěnme bàn?

（5）你 的 房间 里/ 公寓里都有 什么？
Nǐ de fángjiān li / gōngyù li dōu yǒu shénme?

（6）你把桌子、椅子、衣柜 都 放 在哪儿了？
Nǐ bǎ zhuōzi、yǐzi、　yīguì dōu fàng zài nǎr　le?

（7）要是 把你的 桌子、椅子、衣柜、书架 换 一个 地方，你打算 怎么
Yàoshi bǎ nǐ de zhuōzi、 yǐzi、 yīguì、shūjià huàn yí ge dìfang, nǐ dǎsuan zěnme

换？
huàn?

（8）你的 房间 里有 画儿吗？ 在哪儿？
Nǐ de fángjiān li yǒu huàr ma? Zài nǎr?

（9）我 有 很 多 照片、很 多 书，放 在 哪儿 最 好？
Wǒ yǒu hěn duō zhàopiàn、hěn duō shū, fàng zài nǎr zuì hǎo?

（10）你 觉得 你的 教室 怎么样？ 教室 里的 东西 你 打算 怎么 放？
Nǐ juéde nǐ de jiàoshì zěnmeyàng? Jiàoshì li de dōngxi nǐ dǎsuan zěnme fàng?

（11）你的 词典 跟 别人的 词典 一样 吗？
Nǐ de cídiǎn gēn biéren de cídiǎn yíyàng ma?

（12）你们 都 有 自行车 吗？ 你们 的 自行车 一样 吗？
Nǐmen dōu yǒu zìxíngchē ma? Nǐmen de zìxíngchē yíyàng ma?

2. 课堂展示：语段表达　Presentation

说一说你是怎么布置你的房间的。

Say a few sentences about how you've furnished your room with the given words and sentence

patterns.

┊ 参考词语和句式

以前	收拾	乱	舒服	整齐
yǐqián	shōushi	luàn	shūfu	zhěngqí

干净	桌子	椅子	衣柜	放
gānjìng	zhuōzi	yǐzi	yīguì	fàng

搬	装	有点儿	又……又……
bān	zhuāng	yǒudiǎnr	yòu……yòu……

把 + 名词 + 动词 + 在 / 到……　　……一下
bǎ + míngcí + dòngcí + zài / dào……　　……yíxià

挑战自我
Challenge Yourself

交际任务   *Communication task*

七巧板：你能用这七块板拼出下面的图形吗？一边拼一边说，如：把 1 号放在左边，把 2 号放在下边，把 3 号放在 1 号旁边，……。

Tangram: Can you put the 7 pieces into the following shapes (A, B, C, D and E)? Please say the steps in Chinese while you're doing them, put No. 1 on the left; put No. 2 at the bottom; put No. 3 beside No. 1, etc.

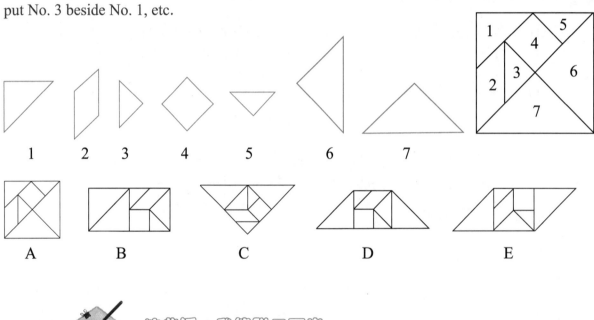

21 明天最高气温10度

The highest temperature tomorrow will be 10 degrees

New Words I

1.	天气	tiānqì	*n.*	weather
2.	预报	yùbào	*v.*	forecast
3.	阴（天）	yīn (tiān)	*n.*	overcast
4.	冷	lěng	*adj.*	cold
5.	度	dù	*m.*	degree
6.	高	gāo	*adj.*	high
7.	气温	qìwēn	*n.*	temperature
8.	低	dī	*adj.*	low
9.	希望	xīwàng	*v.*	hope
10.	因为	yīnwèi	*conj.*	because
11.	见	jiàn	*v.*	see, meet
12.	所以	suǒyǐ	*conj.*	so, therefore

课文（一）　115

Text I

（Tomomi and Li Xue are talking about the weather.）

友美：你看天气预报了吗？
Yǒuměi: Nǐ kàn tiānqì yùbào le ma?

李雪：看了，明天阴天，有点儿冷。
Lǐ Xuě: Kàn le, míngtiān yīntiān, yǒudiǎnr lěng.

友美：多少度？
Yǒuměi: Duōshao dù?

李雪：天气 预报 说， 明天 最高气温10度。
Lǐ Xuě:　Tiānqì yùbào shuō, míngtiān zuì gāo qìwēn shí dù.

友美：最低呢？
Yǒuměi:　Zuì dī ne?

李雪：最低气温5度。
Lǐ Xuě:　Zuì dī qìwēn wǔ dù.

友美：会 下雪 吗？
Yǒuměi:　Huì xià xuě ma?

李雪：天气 预报 没 说。你希望 下雪 吗？
Lǐ Xuě:　Tiānqì yùbào méi shuō. Nǐ xīwàng xià xuě ma?

友美：希望 啊，因为 我家 在 日本 的 最 南边，我 没 见过 雪，所以 特别
Yǒuměi:　Xīwàng a, yīnwèi wǒ jiā zài Rìběn de zuì nánbian, wǒ méi jiànguo xuě, suǒyǐ tèbié

　　　　想 看雪。
　　　　xiǎng kàn xuě.

李雪：我 也 喜欢雪， 下雪 的 时候 特别 漂亮。
Lǐ Xuě:　Wǒ yě xǐhuan xuě, xià xuě de shíhou tèbié piàoliang.

边学边练　*Practice to learn*

1. Lǐ xuě kànle _____ , míngtiān zuì gāo _____ shí dù, yǒudiǎnr _____ .

2. Yǒuměi méi kànjiànguo _____ , yīnwèi tā de jiā _____ .

3. Lǐ xuě yě xǐhuan _____ , yīnwèi _____ de shíhou hěn piàoliang.

跟我读，学生词（二） 116

New Words II

1. 才	cái	*adv.*	only, merely
2. 国家	guójiā	*n.*	country
3. 冬天	dōngtiān	*n.*	winter
4. 更	gèng	*adv.*	more, even more
5. 一般	yìbān	*adj.*	general, ordinary

6.	零下	líng xià		below zero
7.	左右	zuǒyòu	*n.*	about, or so
8.	差不多	chàbuduō	*adv.*	almost, nearly
9.	春天	chūntiān	*n.*	spring
10.	秋天	qiūtiān	*n.*	autumn
11.	夏天	xiàtiān	*n.*	summer
12.	常常	chángcháng	*adv.*	often, usually
13.	季节	jìjié	*n.*	season

课文（二） 117

Text II

（Jimmy and Tomomi are talking about the seasons they like.）

吉米： 今天 天气不错，不太 冷。
Jímǐ: Jīntiān tiānqì búcuò, bú tài lěng.

友美： 不 冷 吗？我 觉得 冷极了，今天 才1度。
Yǒuměi: Bù lěng ma? Wǒ juéde lěng jí le, jīntiān cái yī dù.

吉米： 要是 你去我们 国家，你 怎么 办？
Jímǐ: Yàoshi nǐ qù wǒmen guójiā, nǐ zěnme bàn?

友美： 你们 那儿的 冬天 更 冷吗？
Yǒuměi: Nǐmen nàr de dōngtiān gèng lěng ma?

吉米： 当然， 我们 那儿 冬天 一般是零下 20 度左右，最冷的时候 差
Jímǐ: Dāngrán, wǒmen nàr dōngtiān yìbān shì líng xià èrshí dù zuǒyòu, zuì lěng de shíhou chà-

不多 零下 40 度。
buduō líng xià sìshí dù.

友美： 啊，太 冷了。我 喜欢 春天 和秋天，因为 春天、秋天 不冷 也
Yǒuměi: À, tài lěng le. Wǒ xǐhuan chūntiān hé qiūtiān, yīnwèi chūntiān, qiūtiān bù lěng yě

不热。
bú rè.

吉米： 你不喜欢 夏天 吗？
Jímǐ: Nǐ bù xǐhuan xiàtiān ma?

友美：夏天 太热了，常常 下雨。
Yǒuměi: Xiàtiān tài rè le, chángcháng xià yǔ.

吉米：我 跟你不一样。春夏秋 冬，四个季节，我 都 喜欢。
Jímǐ: Wǒ gēn nǐ bù yíyàng. Chūn xià qiū dōng, sì ge jìjié, wǒ dōu xǐhuan.

边学边练 *Practice to learn*

1. Jímǐ juéde jīntiān _____, kěshì Yǒuměi juéde _____, yīnwèi jīntiān _____ yī dù.

2. Jímǐ de guójiā dōngtiān fēicháng lěng, yìbān shì _____ zuǒyòu, zuì lěng de shíhou _____ líng xià sìshí dù.

3. Yǒuměi xǐhuan _____ hé _____, Jímǐ gēn Yǒuměi _____, yì nián sìjì tā dōu xǐhuan.

功能句
Functional Sentences

【谈论天气、气候】 **Talking about weather and climate**

1. 明天 阴天，有点儿 冷。
   Míngtiān yīntiān, yǒudiǎnr lěng.

2. 天气 预报 说， 明天 最高气温 10 度。
   Tiānqì yùbào shuō, míngtiān zuì gāo qìwēn shí dù.

3. 明天 会下雪 吗?
   Míngtiān huì xià xuě ma?

4. 今天 天气不错，不太 冷。
   Jīntiān tiānqì búcuò, bú tài lěng.

5. 我们 的 冬天 一般 是零下 20 度左右，最冷 的 时候 差不多 零下 40 度。
   Wǒmen de dōngtiān yìbān shì líng xià èrshí dù zuǒyòu, zuì lěng de shíhou chàbuduō líng xià sìshí dù.

6. 我 喜欢 春天 和秋天，不冷 也不热。
   Wǒ xǐhuan chūntiān hé qiūtiān, bù lěng yě bú rè.

7. 夏天 太热了， 常常 下雨。
   Xiàtiān tài rè le, chángcháng xià yǔ.

【说明原因】 **Making explanation**

1. 因为 我没 见过 雪，所以我特别 想 看 雪。
   Yīnwèi wǒ méi jiànguo xuě, suǒyǐ wǒ tèbié xiǎng kàn xuě.

2. 我 喜欢 春天 和秋天，因为不冷也不热。
   Wǒ xǐhuan chūntiān hé qiūtiān, yīnwèi bù lěng yě bú rè.

【转述】 **Reporting**

天气 预报 说， 明天 最高 气温10度。
Tiānqì yùbào shuō, míngtiān zuì gāo qìwēn shí dù.

课堂活动与练习
Classroom Activities and Exercises

一、语音练习 *Pronunciation* 118

qíng (tiān) 晴（天）clear, fine (day)	guā 刮 blow
fēng 风 wind	duǎn 短 short

dà qíngtiān   guā dàfēng   hěn duǎn

Jīntiān yòu shì dà qíngtiān. guāle yì tiān dàfēng   Wǒmen de shíjiān hěn duǎn.

二、大声读一读 *Read aloud*

天气	阴天	晴天	下雨
tiānqì	yīntiān	qíngtiān	xià yǔ
下雪	刮风	昨天又刮风又下雨。	
xià xuě	guā fēng	Zuótiān yòu guā fēng yòu xià yǔ.	

春天 chūntiān	夏天 xiàtiān	秋天 qiūtiān	冬天 dōngtiān
春夏秋冬，我都喜欢。 Chūn xià qiū dōng, wǒ dōu xǐhuan.		这儿一年四季都不错。 Zhèr yì nián sìjì dōu búcuò.	
气温 qìwēn	最高气温 zuì gāo qìwēn	最低气温 zuì dī qìwēn	气温不高也不低。 Qìwēn bù gāo yě bù dī.
度 dù	10 度 shí dù	零下 3 度 líng xià sān dù	最高气温 10 度。 Zuì gāo qìwēn shí dù.
左右 zuǒyòu	20 度左右 èrshí dù zuǒyòu	30 天左右 sānshí tiān zuǒyòu	12:30 左右 shí'èr diǎn bàn zuǒyòu
我三点左右回来。 Wǒ sān diǎn zuǒyòu huílai.		一节课时间很短，50 分钟左右。 Yì jié kè shíjiān hěn duǎn, wǔshí fēnzhōng zuǒyòu.	
差不多 chàbuduō	差不多零下 15 度 chàbuduō líng xià shíwǔ dù	差不多 20 年 chàbuduō èrshí nián	差不多两点 chàbuduō liǎng diǎn
差不多 40 分钟 chàbuduō sìshí fēnzhōng		我差不多都会了。 Wǒ chàbuduō dōu huì le.	
不……也不…… bù……yě bù……	不冷也不热 bù lěng yě bú rè	不高也不低 bù gāo yě bù dī	不好也不坏 bù hǎo yě bú huài

三、替换词语说句子　*Substitution drills*

1. 明天　阴天，最高 气温 10 度。
   Míngtiān yīntiān, zuì gāo qìwēn shí dù.

晴天 qíngtiān	刮风 guā fēng
有雨 yǒu yǔ	

2. 今天 很 冷，才 5 度。
   Jīntiān hěn lěng, cái wǔ dù.

人很少 rén hěn shǎo	个 gè
时间很短 shíjiān hěn duǎn	分钟 fēnzhōng
楼不高 lóu bù gāo	层 céng

3. 天气 预报 说，下星期
   Tiānqì yùbào shuō, xià xīngqī

   有 雨。
   yǒu yǔ.

老师 lǎoshī	学新课 xué xīn kè
朋友 péngyou	一起去看电影 yìqǐ qù kàn diànyǐng
父母 fùmǔ	来中国 lái Zhōngguó

4. 我 希望 明天 下雪。
   Wǒ xīwàng míngtiān xià xuě.

明天晴天 míngtiān qíngtiān
找一份好工作 zhǎo yí fèn hǎo gōngzuò
放假能去旅游 fàngjià néng qù lǚyóu

5. A: 你为 什么 喜欢
     Nǐ wèi shénme xǐhuan

   冬天?
   dōngtiān?

   B: 因为 冬天 常常
     Yīnwèi dōngtiān chángcháng

   下雪。
   xià xuě.

春天 chūntiān	春天不冷也不热 chūntiān bù lěng yě bú rè
看广告 kàn guǎnggào	看广告可以学习汉语 kàn guǎnggào kěyǐ xuéxí Hànyǔ
在中国旅游 zài Zhōngguó lǚyóu	中国有很多名胜古迹 Zhōngguó yǒu hěn duō míng-shèng gǔjì

6. A: 最 高 气温 一般
     Zuì gāo qìwēn yìbān

   多少 度?
   duōshao dù?

   B: 一般 35 度 左右。
     Yìbān sānshíwǔ dù zuǒyòu.

你们 nǐmen	什么时候下课 shénme shíhou xiàkè	3:30 sān diǎn bàn
你 nǐ	几点起床 jǐ diǎn qǐchuáng	7:00 qī diǎn
一个班 yí ge bān	有多少人 yǒu duōshao rén	20个 èrshí ge
春节 Chūn Jié	放儿天假 fàng jǐ tiān jià	一个星期 yí ge xīngqī

四、练一练：完成对话　*Complete the following dialogues*

1. A：明天　天气　怎么样？

   Míngtiān tiānqì zěnmeyàng?

   B：_____。

2. A：_____？

   B：天气　预报　说，明天　有　雪。

   Tiānqì yùbào shuō, míngtiān yǒu xuě.

   A：_____？

   B：最　高　零下1度。

   Zuì gāo líng xià yī dù.

3. A：你最　喜欢　什么　季节？

   Nǐ zuì xǐhuan shénme jìjié?

   B：_____。

   A：为　什么？

   Wèi shénme?

   B：_____。

4. A：今天_____？

   jīntiān

   B：1度。

   Yī dù.

   A：啊，_____，太冷了。

   à　　　　　　　　　　　　　　tài lěng le

   B：明天　更　冷，零下3度。

   Míngtiān gèng lěng, líng xià sān dù.

5. A：你们　国家的夏天热吗？

   Nǐmen guójiā de xiàtiān rè ma?

   B：不热，_____。

   bú rè

   A：太舒服了。

   Tài shūfu le.

6. A：你看 新闻 了吗？

    Nǐ kàn xīnwén le ma?

  B：没 看。

    Méi kàn.

  A：_____。

  B：真 的吗？

    Zhēn de ma?

五、小组活动　*Group work*

1. 看图说一说　Look at the pictures and talk about them.

任务：互相问一问、说一说图中都是什么天气。

Task: Ask and answer questions about the weather in each picture.

2. 填表说一说　Provide the information and talk about it.

春天 chūntiān	夏天 xiàtiān	秋天 qiūtiān	冬天 dōngtiān

任务一：根据你自己国家/城市的天气，画一画或写一写每个季节的特点。

Task 1: Fill in the table with pictures or key words to describe the weather of different seasons in your country/city.

任务二：互相问一问、说一说你们自己国家的天气情况。

Task 2: Ask and answer questions about the weather in your own country.

六、复习与表达　*Review and presentation*

1. 双人练习：回答问题　Pair work: Ask and answer the following questions.

（1）你 看 天气 预报 了 吗？
Nǐ kàn tiānqì yùbào le ma?

（2）明天　天气 怎么样？
Míngtiān tiānqì zěnmeyàng?

（3）气温　多少 度？
Qìwēn duōshao dù?

（4）现在 是 什么 季节？
Xiànzài shì shénme jìjié?

（5）一般 是 什么 天气？
Yìbān shì shénme tiānqì?

（6）这个 季节 最高 气温 一般 多少　度？最低 呢？
Zhège jìjié zuì gāo qìwēn yìbān duōshao dù?　Zuì dī ne?

（7）你 最 喜欢 什么 季节？为 什么？
Nǐ zuì xǐhuan shénme jìjié?　Wèi shénme?

（8）这儿 的 天气 跟 你们 国家 的 天气 一样 吗？
Zhèr de tiānqì gēn nǐmen guójiā de tiānqì yíyàng ma?

（9）你 觉得 这儿 最好 的 季节 是 什么？
Nǐ juéde zhèr zuì hǎo de jìjié shì shénme?

（10）每 个 季节 都 可以 做 什么？
Měi ge jìjié dōu kěyǐ zuò shénme?

2. 课堂展示：语段表达　Presentation

说一说某个地方的天气。

Say a few sentences about the weather of a place/city with the given words and sentence patterns.

参考词语和句式

天气	阴天	晴天	下雨	下雪
tiānqì	yīntiān	qíngtiān	xià yǔ	xià xuě

刮风	气温	左右	差不多
guā fēng	qìwēn	zuǒyòu	chàbuduō

一般	常常	季节	因为……所以……
yìbān	chángcháng	jìjié	yīnwèi……suǒyǐ……

挑战自我
Challenge Yourself

交际任务 *Communication task*

调查：谁的家乡夏天最热？冬天最冷？

Survey: Make a survey in your class to see whose hometown has got the hottest summer and whose hometown has got the coldest winter.

	夏天 xiàtiān	冬天 dōngtiān
城市 chéngshì		
时间（从……到……） shíjiān (cóng……dào……)		
一般气温 yìbān qìwēn		
最高气温／最低气温 zuì gāo qìwēn／zuì dī qìwēn		

这些话，我能脱口而出

22 我正在看新闻
I'm watching the news

New Words I

1. （正）在	(zhèng) zài	*adv.*	in the process of, in the course of
2. 电视剧	diànshìjù	*n.*	TV serial
3. 体育	tǐyù	*n.*	physical training, physical education
4. 台	tái	*n.*	stage, station, channel
5. 播	bō	*v.*	broadcast
6. 比赛	bǐsài	*n.*	match, competition
7. 还是	háishi	*adv.*	had better
8. 先	xiān	*adv.*	first
9. 查	chá	*v.*	check
10. 电子邮件	diànzǐ yóujiàn		email
11. 马上	mǎshàng	*adv.*	right away, immediately

课文（一） 120

Text I

（Martin is watching TV and his roommate is surfing the Internet.）

同屋： 你 在 看 什么 电视 节目？
Tóngwū： Nǐ zài kàn shénme diànshì jiémù?

马丁： 我 正在 看新闻，一会儿 有 电视剧，韩国 的，你 来 看 吧。
Mǎdīng： Wǒ zhèngzài kàn xīnwén, yíhuìr yǒu diànshìjù, Hánguó de, nǐ lái kàn ba.

同屋： 体育 台 在 播 什么？ 有 没有 网球？
Tóngwū： Tǐyù tái zài bō shénme? Yǒu méiyǒu wǎngqiú?

马丁：　我　看看。体育台　正在　播足球比赛，你　想　看　吗？
Mǎdīng：　Wǒ kànkan.　Tǐyù tái zhèngzài bō zúqiú　bǐsài,　nǐ xiǎng kàn ma?

同屋：　我　对足球不太　感　兴趣。你　再　看看　电影　台。
Tóngwū：　Wǒ duì zúqiú bú tài gǎn xìngqù.　Nǐ zài kànkan diànyǐng tái.

马丁：　电影　台在播　广告。还是　看　电视剧　吧，这是　韩国一个很
Mǎdīng：　Diànyǐng tái zài bō guǎnggào. Háishi　kàn diànshìjù　ba,　zhè shì Hánguó yí　ge hěn

有名　的　电视剧。
yǒumíng de diànshìjù.

同屋：　好，你先看，我查一下电子邮件，查完　邮件　马上　来看。
Tóngwū：　Hǎo,　nǐ xiān kàn,　wǒ chá yíxià diànzǐ yóujiàn,　cháwán yóujiàn mǎshàng lái kàn.

边学边练　*Practice to learn*

1. Jīntiān de diànshì jiémù yǒu _____, hái yǒu Hánguó de _____.

2. Tǐyù tái _____ bō zúqiú bǐsài, diànyǐng tái zhèngzài _____.

3. Mǎdīng de tóngwū yào xiān chácha _____, _____ yóujiàn zài lái
   kàn diànshì.

跟我读，学生词（二） 121

New Words Ⅱ

1.	呢	ne	*part.*	used at the end of a sentence to indicate the continuation of an action or situation
2.	操场	cāochǎng	*n.*	playground, sports ground
3.	上	shang	*n.*	on, at, in
4.	那些	nàxiē	*pron.*	those
5.	跑步	pǎobù	*v.*	run, jog
6.	太极拳	tàijíquán	*n.*	*taijiquan*, shadow boxing
7.	一边	yìbiān	*adv.*	at the same time, simultaneously
8.	多	duō	*adv.*	how, what
9.	应该	yīnggāi	*aux.*	should, ought to

课文（二）

Text II

（In the flat, Hannah is standing by the window looking out. Tomomi is doing her homework.）

友美: 汉娜，你看 什么 呢？
Yǒuměi: Hànnà, nǐ kàn shénme ne?

汉娜: 我 在看 操场 上 那些人。
Hànnà: Wǒ zài kàn cāochǎng shang nàxiē rén.

友美: 他们 干 什么 呢？
Yǒuměi: Tāmen gàn shénme ne?

汉娜: 有的 在 跑步，有的 在 打太极拳，还有的一边 散步，一边 听
Hànnà: Yǒude zài pǎobù, yǒude zài dǎ tàijíquán, hái yǒude yìbiān sànbù, yìbiān tīng

音乐。
yīnyuè.

友美: 多 好啊，我们 也应该 去 运动 运动。
Yǒuměi: Duō hǎo a, wǒmen yě yīnggāi qù yùndòng yùndòng.

汉娜: 好 啊，我们 现在 就去。
Hànnà: Hǎo a, wǒmen xiànzài jiù qù.

友美: 不行，我 正在 写 作业呢，还 没 写完。
Yǒuměi: Bùxíng, wǒ zhèngzài xiě zuòyè ne, hái méi xiěwán.

汉娜: 没 关系，我 等 你 一会儿。
Hànnà: Méi guānxi, wǒ děng nǐ yíhuìr.

友美: 好，我 写完 作业，咱们 马上 去。
Yǒuměi: Hǎo, wǒ xiěwán zuòyè, zánmen mǎshàng qù.

边学边练 *Practice to learn*

1. Hànnà zài kàn _____ shang de rén, tāmen yǒude zài _____, yǒude zài
   dǎ _____.

2. Yǒuměi _____ xiě zuòyè, tā de zuòyè hái méi _____.

3. Hànnà děng Yǒuměi _____. Yǒuměi xiěwán zuòyè, tāmen _____ qù
   yùndòng.

功能句
Functional Sentences

【询问】 **Inquiry**

1. 你 在 看 什么 电视 节目？
   Nǐ zài kàn shénme diànshì jiémù?

2. 体育台 在 播 什么？ 有 没有 网球？
   Tǐyù tái zài bō shénme? Yǒu méiyǒu wǎngqiú?

3. 你 想 看 吗？
   Nǐ xiǎng kàn ma?

4. 他们 在 做 什么？
   Tāmen zài zuò shénme?

【选择】 **Making choices**

还是 看 电视剧 吧。
Háishi kàn diànshìjù ba.

【列举】 **Enumerating**

1. 有的 在 跑步，有的 在 打太极拳，还有的 一边 散步， 一边 听 音乐。
   Yǒude zài pǎobù, yǒude zài dǎ tàijíquán, hái yǒude yìbiān sànbù, yìbiān tīng yīnyuè.

2. 体育台 正在 播足球比赛， 电影 台 正在 播 广告。
   Tǐyù tái zhèngzài bō zúqiú bǐsài, diànyǐng tái zhèngzài bō guǎnggào.

课堂活动与练习
Classroom Activities and Exercises

一、语音练习 *Pronunciation*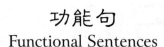

zhèxiē 这些 these	yìxiē 一些 some	kū 哭 cry
xiào 笑 laugh	shuǐguǒ 水果 fruit	

Zhèxiē xuésheng lái le.　　Yìxiē zhuōzi huài le.　　Tā zhèngzài kū ne.

Dàjiā dōu xiào le.　　Wǒ xǐhuan chī shuǐguǒ.　　Nàxiē shū hái yào ma?

二、大声读一读 *Read aloud*

在……呢	在看书	在看书呢	他在看书呢。
zài……ne	zài kàn shū	zài kàn shū ne	Tā zài kàn shū ne.

他在看什么？		他干什么呢？	
Tā zài kàn shénme?		Tā gàn shénme ne?	

正在	正在打电话	他正在打电话。	
zhèngzài	zhèngzài dǎ diànhuà	Tā zhèngzài dǎ diànhuà.	

台	体育台	电影台	北京台
tái	tǐyù tái	diànyǐng tái	Běijīng tái

上海台正在播一个新电影。		这个节目不好，换台吧。	
Shànghǎi tái zhèngzài bō yí ge xīn diànyǐng.		Zhège jiémù bù hǎo, huàn tái ba.	

查	查邮件	查词典	查电话号码
chá	chá yóujiàn	chá cídiǎn	chá diànhuà hàomǎ

还是	还是这个好。	还是去吧。	还是看新闻吧。
háishi	Háishi zhège hǎo.	Háishi qù ba.	Háishi kàn xīnwén ba.

还是你自己去吧。		还是坐地铁吧。	
Háishi nǐ zìjǐ qù ba.		Háishi zuò dìtiě ba.	

那些	这些	一些	这些朋友
nàxiē	zhèxiē	yìxiē	zhèxiē péngyou

一些电影		看过一些中文电影	
yìxiē diànyǐng		kànguo yìxiē Zhōngwén diànyǐng	

一边……一边……		一边散步一边听音乐	
yìbiān……yìbiān……		yìbiān sànbù yìbiān tīng yīnyuè	

一边吃饭一边聊天儿		一边学习一边打工	
yìbiān chī fàn yìbiān liáotiānr		yìbiān xuéxí yìbiān dǎgōng	

有的		有的哭，有的笑。	
yǒude		Yǒude kū, yǒude xiào.	

有的游泳，有的打球。		有的容易，有的难。	
Yǒude yóuyǒng, yǒude dǎ qiú.		Yǒude róngyì, yǒude nán.	

有的喜欢，有的不喜欢。		有的好吃，有的不好吃。	
Yǒude xǐhuan, yǒude bù xǐhuan.		Yǒude hǎochī, yǒude bù hǎochī.	

多	多好啊	多漂亮啊	多好玩儿啊
duō	duō hǎo a	duō piàoliang a	duō hǎowánr a

这儿的水果多便宜啊。		这件衣服多贵啊。	
Zhèr de shuǐguǒ duō piányi a.		Zhè jiàn yīfu duō guì a.	

三、替换词语说句子 *Substitution drills*

1. A：现在 有 什么 电视 节目？
   Xiànzài yǒu shénme diànshì jiémù?

   B：正在 播 新闻。
   Zhèngzài bō xīnwén.

电视剧	体育节目
diànshìjù	tǐyù jiémù
天气预报	
tiānqì yùbào	

2. A：北京 台 在 播 足球 比赛，
   Běijīng tái zài bō zúqiú bǐsài,

   上海 台 在 播 新闻，你
   Shànghǎi tái zài bō xīnwén, nǐ

   看 哪个？
   kàn nǎge?

   B：还是 看 新闻 吧。
   Háishi kàn xīnwén ba.

电影	电视剧
diànyǐng	diànshìjù
音乐节目	体育节目
yīnyuè jiémù	tǐyù jiémù
棒球比赛	乒乓球比赛
bàngqiú bǐsài	pīngpāngqiú bǐsài

3. A：他们 在 做 什么？
   Tāmen zài zuò shénme?

   B：有的 在 打 太极拳，有的
   Yǒude zài dǎ tàijíquán, yǒude

   在 跑步。
   zài pǎobù.

听音乐	看新闻
tīng yīnyuè	kàn xīnwén
打球	散步
dǎ qiú	sànbù
查邮件	写作业
chá yóujiàn	xiě zuòyè

4. A：我 能 问 一个 问题 吗？
   Wǒ néng wèn yí ge wèntí ma?

   B：对不起，我 在 打 电话，
   Duìbuqǐ, wǒ zài dǎ diànhuà,

   等 一会儿，好 吗？
   děng yíhuìr, hǎo ma?

用一下电脑	查邮件
yòng yíxià diànnǎo	chá yóujiàn
用一下自行车	修车
yòng yíxià zìxíngchē	xiū chē
换一个台	看比赛
huàn yí ge tái	kàn bǐsài

5. A：你 买 这么 多 书？
   Nǐ mǎi zhème duō shū?

   B：这些 是 朋友 的，那些 是 我 的。
   Zhèxiē shì péngyou de, nàxiē shì wǒ de.

有	作业	今天	明天
yǒu	zuòyè	jīntiān	míngtiān
写	汉字	22课	21课
xiě	Hànzì	èrshí'èr kè	èrshíyī kè
搬	椅子	我们班	他们班
bān	yǐzi	wǒmen bān	tāmen bān

6. 他们 一边 散步，一边 听 音乐。
   Tāmen yìbiān sànbù, yìbiān tīng yīnyuè.

吃饭	看电视
chī fàn	kàn diànshì
听音乐	打太极拳
tīng yīnyuè	dǎ tàijíquán
学习	打工
xuéxí	dǎgōng

四、练一练：完成对话 *Complete the following dialogues*

1. A：今天 有 什么 电视节目？
   Jīntiān yǒu shénme diànshì jiémù?

   B：＿＿＿＿＿＿＿＿＿＿＿＿＿＿＿＿＿。

   A：别的 台 呢？
   Biéde tái ne?

   B：＿＿＿＿＿＿＿＿＿＿＿＿＿＿＿＿＿。

2. A：＿＿＿＿＿＿＿＿＿＿＿＿＿＿＿＿？

   B：我 对 电视剧 不 感 兴趣，换 一个 台 吧。
   Wǒ duì diànshìjù bù gǎn xìngqù, huàn yí ge tái ba.

   A：＿＿＿＿＿＿＿＿＿＿＿＿＿＿＿＿。

3. A：我 能 用 一下 你 的 电脑 吗？
   Wǒ néng yòng yíxià nǐ de diànnǎo ma?

   B：＿＿＿＿＿＿＿＿＿＿＿＿＿＿＿，查完 邮件 你 用 吧。
   cháwán yóujiàn nǐ yòng ba

   A：好 的。
   Hǎo de.

4. A：这　两　个　电视台　都　在　播　体育　节目，你　看　哪个？
　　　 Zhè liǎng ge diànshìtái dōu zài bō tǐyù jiémù, nǐ kàn nǎge?

　　B：_____。

5. A：你　在　操场　上　做　什么　呢？
　　　 Nǐ zài cāochǎng shang zuò shénme ne?

　　B：_____。

　　A：那些　人　是　你　的　朋友　吗？
　　　 Nàxiē rén shì nǐ de péngyou ma?

　　B：_____。

6. A：_____？

　　B：不太　会　打，_____。
　　　 bú tài huì dǎ

　　A：那　是　你　的　太极拳　老师　吗？
　　　 Nà shì nǐ de tàijíquán lǎoshī ma?

　　B：对，他　也　是　学生，_____。
　　　 duì, tā yě shì xuésheng

五、小组活动　*Group work*

看图说一说　Look at the pictures and talk about them.

任务：互相问一问、说一说两幅图中的人都在做什么、两幅图有什么不同。

Task: Ask and answer questions about what the people in the pictures are doing, and find out the differences between the two pictures.

六、复习与表达 *Review and presentation*

1.双人练习：回答问题 Pair work: Ask and answer the following questions.

（1）你 现在 做 什么 呢?
Nǐ xiànzài zuò shénme ne?

（2）别的 人 在 做 什么?
Biéde rén zài zuò shénme?

（3）你 休息的 时候 喜欢 做 什么?
Nǐ xiūxi de shíhou xǐhuan zuò shénme?

（4）今天 有 什么 电视 节目?
Jīntiān yǒu shénme diànshì jiémù?

（5）你喜欢 看 电视剧 吗?
Nǐ xǐhuan kàn diànshìjù ma?

（6）你 对 体育 节目 感 兴趣 吗?
Nǐ duì tǐyù jiémù gǎn xìngqù ma?

（7）体育台 正在 播 网球 比赛,你 想 看 吗?
Tǐyù tái zhèngzài bō wǎngqiú bǐsài, nǐ xiǎng kàn ma?

（8）你 会 打 太极拳 吗?
Nǐ huì dǎ tàijíquán ma?

（9）你 写完 今天 的 作业 了 吗?
Nǐ xiěwán jīntiān de zuòyè le ma?

（10）我们 现在去 外边 运动 运动, 怎么样?
Wǒmen xiànzài qù wàibian yùndòng yùndòng, zěnmeyàng?

2. 课堂展示：语段表达　Presentation

说一说你下课或下班以后有什么体育活动和娱乐活动。

Say a few sentences about the sports and leisure activities you participate in after class or work with the given words and sentence patterns.

参考词语和句式

电视剧	体育	比赛	马上	电子邮件	跑步
diànshìjù	tǐyù	bǐsài	mǎshàng	diànzǐ yóujiàn	pǎobù
散步	太极拳	应该	一边……一边……		正在……
sànbù	tàijíquán	yīnggāi	yìbiān…… yìbiān……		zhèngzài……

挑战自我
Challenge Yourself

交际任务　*Communication task*

问一问你的中国朋友，他们喜欢看哪个电视台的节目，喜欢看什么节目。

Ask your Chinese friends about their favourite TV channels and TV programmes.

朋友 péngyou	喜欢的电视台 xǐhuan de diànshìtái	喜欢的电视节目 xǐhuan de diànshì jiémù

这些话，我能脱口而出

23 时间过得真快
Time flies

跟我读，学生词（一）

New Words I

1.	得	de	*part.*	used after a verb or adjective to introduce a complement of result or degree
2.	快	kuài	*adj.*	fast
3.	学期	xuéqī	*n.*	term, semester
4.	听力	tīnglì	*n.*	listening comprehension
5.	口语	kǒuyǔ	*n.*	spoken language
6.	进步	jìnbù	*v.*	improve, progress
7.	语法	yǔfǎ	*n.*	grammar
8.	年	nián	*m.*	year
9.	手续	shǒuxù	*n.*	procedures, formality
10.	可能	kěnéng	*aux.*	perhaps, probably
11.	庆祝	qìngzhù	*v.*	celebrate
12.	开	kāi	*v.*	hold (a meeting, exhibition, etc.)
13.	晚会	wǎnhuì	*n.*	party, evening party

课文（一） 125

Text I

（At the end of the semester, Martin is chatting with Hannah.）

马丁：时间 过 得 真 快，一个 学期 已经 结束 了。
Mǎdīng: Shíjiān guò de zhēn kuài, yí ge xuéqī yǐjīng jiéshù le.

汉娜: 是啊。上了 一个 学期 的 汉语 课，现在 觉得 汉语 怎么样?
Hànnà: Shì a. Shàngle yí ge xuéqī de Hànyǔ kè, xiànzài juéde Hànyǔ zěnmeyàng?

马丁: 我 觉得 自己 的 听力 和 口语 都 进步 了，语法 学 得 也 不错，可是
Mǎdīng: Wǒ juéde zìjǐ de tīnglì hé kǒuyǔ dōu jìnbù le, yǔfǎ xué de yě búcuò, kěshì

汉字 写 得 不 太 好。
Hànzì xiě de bú tài hǎo.

汉娜: 我 跟 你 一样。你 考试 考 得 怎么样?
Hànnà: Wǒ gēn nǐ yíyàng. Nǐ kǎoshì kǎo de zěnmeyàng?

马丁: 老师 说 我们 考 得 都 很 好。
Mǎdīng: Lǎoshī shuō wǒmen kǎo de dōu hěn hǎo.

汉娜: 你 下 个 学期 还 在 这儿 学习 吗?
Hànnà: Nǐ xià ge xuéqī hái zài zhèr xuéxí ma?

马丁: 我 想 再 学习 半 年，我 正在 办 手续，可能 没 问题。
Mǎdīng: Wǒ xiǎng zài xuéxí bàn nián, wǒ zhèngzài bàn shǒuxù, kěnéng méi wèntí.

汉娜: 太 好 了。学习 结束 了，咱们 庆祝 一下，开 个 晚会 吧。
Hànnà: Tài hǎo le. Xuéxí jiéshù le, zánmen qìngzhù yíxià, kāi ge wǎnhuì ba.

马丁: 好 主意!
Mǎdīng: Hǎo zhǔyi!

边学边练 *Practice to learn*

1. Yí ge _____ yǐjīng jiéshù le, Mǎdīng juéde shíjiān _____.

2. Mǎdīng de kǒuyǔ hé tīnglì _____ le, _____ xué de yě búcuò, kěshì tā juéde zìjǐ de Hànzì _____.

3. Tāmen _____ kǎo de hěn hǎo.

4. Mǎdīng zhèngzài _____, xīwàng _____ xuéqī hái zài zhèr xuéxí.

5. Tāmen xiǎng kāi yí ge _____, qìngzhù yíxià.

跟我读，学生词（二） 126

New Words II

1. 开心　　　kāixīn　　*adj.*　　　　happy

2.	马马虎虎	mǎmahūhū	*adj.*	so-so, not so bad, not so good
3.	爱	ài	*v.*	love
4.	哪里	nǎlǐ	*pron.*	*used when responding politely to a compliment*
5.	饺子	jiǎozi	*n.*	dumpling
6.	想到	xiǎngdào		think of
7.	那么	nàme	*pron.*	so, such
8.	可爱	kě'ài	*adj.*	lovely, cute
9.	机会	jīhuì	*n.*	chance, opportunity

课文（二） 〔127〕

Text II

（Martin and Tomomi are talking about the party they had yesterday.）

马丁：　昨天　晚会　玩儿得太高兴了。
Mǎdīng:　Zuótiān wǎnhuì　wánr de tài gāoxìng le.

友美：对，大家都很开心。你　唱歌
Yǒuměi:　Duì，dàjiā dōu hěn kāixīn.　Nǐ chànggē

　　　　唱　得真　好。
　　　　chàng de zhēn hǎo.

马丁：马马虎虎，我特别爱唱歌。你跳舞跳得也不错呀，大家都喜欢。
Mǎdīng:　Mǎmahūhū，　wǒ tèbié ài chànggē. Nǐ tiàowǔ tiào de yě búcuò ya，　dàjiā dōu xǐhuan.

友美：哪里哪里。
Yǒuměi:　Nǎlǐ　nǎlǐ.

马丁：还有咱们做的饺子……
Mǎdīng:　Hái yǒu zánmen zuò de jiǎozi……

友美：对，没想到，　咱们做的饺子那么好吃。
Yǒuměi:　Duì，méi xiǎngdào，　zánmen zuò de jiǎozi nàme hǎochī.

马丁：是啊，我们做了那么多，都吃完了。
Mǎdīng:　Shì a，wǒmen zuòle nàme duō，dōu chīwán le.

友美：我们班的同学太可爱了。
Yǒuměi:　Wǒmen bān de tóngxué tài kě'ài le.

马丁： 我 也 觉得 咱们 班特别 好， 真 希望 还有 机会 一起 学习。
Mǎdīng： Wǒ yě juéde zánmen bān tèbié hǎo, zhēn xīwàng hái yǒu jīhuì yìqǐ xuéxí.

友美： 没 问题， 下个 学期 很 多 同学 都 回来。
Yǒuměi： Méi wèntí, xià ge xuéqī hěn duō tóngxué dōu huílai.

马丁： 太 棒 了，咱们 还 一起 学习， 还 在 一个 班。
Mǎdīng： Tài bàng le, zánmen hái yìqǐ xuéxí,   hái zài yí ge bān.

边学边练 *Practice to learn*

1. Zuótiān de wǎnhuì, tāmen _____ hěn gāoxìng、hěn _____.

2. Mǎdīng _____ hěn hǎo, Yǒuměi _____ hěn hǎo.

3. Tāmen zuòle hěn duō _____, dōu chī _____.

4. Mǎdīng xīwàng _____ dàjiā hái zài yìqǐ xuéxí.

功能句
Functional Sentences

【询问】 **Inquiry**

1. 你 考试 考得 怎么样？
   Nǐ kǎoshì kǎo de zěnmeyàng?

2. 你 下个 学期 还 在 这儿 学习 吗？
   Nǐ xià ge xuéqī hái zài zhèr xuéxí ma?

【称赞】 **Making compliments**

1. 你 唱歌 唱 得 真 好。
   Nǐ chànggē chàng de zhēn hǎo.

2. 你 跳舞 跳 得 也 不错 呀，大家 都 喜欢。
   Nǐ tiàowǔ tiào de yě búcuò ya, dàjiā dōu xǐhuan.

3. 咱们 做的 饺子 那么 好吃。
   Zánmen zuò de jiǎozi nàme hǎochī.

4. 我们 班 的 同学 太 可爱 了。
   Wǒmen bān de tóngxué tài kě'ài le.

【谦虚】 **Making modest remarks**

1. 马马虎虎。
   Mǎmahūhū.

2. 哪里哪里。
   Nǎlǐ　nǎlǐ.

课堂活动与练习
Classroom Activities and Exercises

一、语音练习　*Pronunciation*　128

kāichē　开车 drive a car	màn　慢 slow
hùzhào　护照 passport	qiānzhèng　签证 visa

huì kāichē	tèbié màn
shéi de hùzhào	bàn qiānzhèng
Tā bú huì kāichē.	Chē zǒu de tèbié màn.
Zhè shì shéi de hùzhào?	Kuài qù bàn qiānzhèng ba.

二、大声读一读　*Read aloud*

n. + v. + 得…… n. + v. + de……	汉字写得很好 Hànzì xiě de hěn hǎo	汉语学得不错 Hànyǔ xué de búcuò	时间过得很快。 Shíjiān guò de hěn kuài.
v. + n. + v. + 得 +……	（写）汉字写得不错 (xiě) Hànzì xiě de búcuò	（学）汉语学得很好 (xué) Hànyǔ xué de hěn hǎo	（唱）歌唱得很好听 (chàng)gē chàng de hěn hǎotīng
v. + n. + v. + de +……	我开车开得很慢。 Wǒ kāichē kāi de hěn màn. 他做饺子做得很好吃。 Tā zuò jiǎozi zuò de hěn hǎochī.		

办 bàn	办手续 bàn shǒuxù	办护照 bàn hùzhào	办签证 bàn qiānzhèng
	怎么办 zěnme bàn	签证办得很慢。 Qiānzhèng bàn de hěn màn.	
进步 jìnbù	他进步了。 Tā jìnbù le.	口语进步了 kǒuyǔ jìnbù le	每天都在进步 měi tiān dōu zài jìnbù
	他的口语进步得很快。 Tā de kǒuyǔ jìnbù de hěn kuài.		
开 kāi	开晚会 kāi wǎnhuì	开门 kāimén	开机 kāijī
	开车 kāichē	打开 dǎkāi	
做 zuò	做饭 zuò fàn	做饺子 zuò jiǎozi	做作业 zuò zuòyè
	做什么工作 zuò shénme gōngzuò	他在做什么？ Tā zài zuò shénme?	
爱 ài	爱父母 ài fùmǔ	我爱你。 Wǒ ài nǐ.	爱运动 ài yùndòng
	爱唱歌 ài chànggē	爱吃饺子 ài chī jiǎozi	
那么 nàme	那么多 nàme duō	那么开心 nàme kāixīn	天气那么热。 Tiānqì nàme rè.
	认识了那么多朋友 rènshile nàme duō péngyou		
	说汉语说得那么好 shuō Hànyǔ shuō de nàme hǎo		
机会 jīhuì	好机会 hǎo jīhuì	机会很多 jīhuì hěn duō	有没有机会 yǒu méiyǒu jīhuì
	要是有机会 yàoshi yǒu jīhuì		
	要是有机会，我一定来。 Yàoshi yǒu jīhuì, wǒ yídìng lái.		

三、替换词语说句子　*Substitution drills*

1. A：他 唱歌 唱 得 怎么样？
   　　Tā chànggē chàng de zěnmeyàng?

   B：他 唱歌 唱 得很 好。
   　　Tā chànggē chàng de hěn hǎo.

跳舞	跳
tiàowǔ	tiào
打球	打
dǎ qiú	dǎ
开车	开
kāichē	kāi

2. A：你 觉得 他汉字 写得 怎么样？
   　　Nǐ juéde tā Hànzì xiě de zěnmeyàng?

   B：他汉字 写 得很 漂亮。
   　　Tā Hànzì xiě de hěn piàoliang.

中国画	画	好
zhōngguóhuà	huà	hǎo
太极拳	打	不错
tàijíquán	dǎ	búcuò
饭	做	棒
fàn	zuò	bàng

3. A：昨天 的 晚会 怎么样？
   　　Zuótiān de wǎnhuì zěnmeyàng?

   B：我们 玩儿得很 高兴。
   　　Wǒmen wánr de hěn gāoxìng.

比赛	打	好
bǐsài	dǎ	hǎo
电影	看	开心
diànyǐng	kàn	kāixīn
生日晚会	玩儿	开心
shēngrì wǎnhuì	wánr	kāixīn

4. A：没 想到，你 汉语 说 得
   　　Méi xiǎngdào, nǐ Hànyǔ shuō de

   　真 不错。
   　zhēn búcuò.

   B：哪里 哪里。/ 马马虎虎。
   　　Nǎlǐ nǎlǐ. / Mǎmahūhū.

饺子	做	好吃
jiǎozi	zuò	hǎochī
考试	考	棒
kǎoshì	kǎo	bàng
房间	收拾	干净
fángjiān	shōushi	gānjìng

5. A: <u>下 学期</u> 你 有 什么 <u>打算</u>?

   Xià xuéqī nǐ yǒu shénme dǎsuan?

   B: 我 可能 还 <u>在 这儿 学 汉语</u>。

   Wǒ kěnéng hái zài zhèr xué Hànyǔ.

   A: 真 希望 还 有 机会 一起 <u>学习</u>。

   Zhēn xīwàng hái yǒu jīhuì yìqǐ xuéxí.

明年	来中国	旅行
míngnián	lái Zhōngguó	lǚxíng
下个月	去上海	玩儿
xià ge yuè	qù Shànghǎi	wánr
下个星期	来打球	比赛
xià ge xīngqī	lái dǎ qiú	bǐsài

四、练一练：完成对话 *Complete the following dialogues*

1. A: 一个 学期 这么 快 就 结束 了。

   Yí ge xuéqī zhème kuài jiù jiéshù le.

   B: 是啊，_____。

   shì a

2. A: 你 觉得 自己 的 汉语 怎么样?

   Nǐ juéde zìjǐ de Hànyǔ zěnmeyàng?

   B: _____。

3. A: 你 的 听力、口语、语法 和 汉字，哪个 学 得 好?

   Nǐ de tīnglì、 kǒuyǔ 、 yǔfǎ hé Hànzì， nǎge xué de hǎo?

   B: _____。

4. A: _____?

   B: 考 得 不错，我 很 高兴。

   Kǎo de búcuò， wǒ hěn gāoxìng.

5. A: 你 的 签证 手续 办 好 了 吗?

   Nǐ de qiānzhèng shǒuxù bànhǎo le ma?

   B: _____。

6. A: _____?

   B: 好 主意，什么 时候 开?

   Hǎo zhǔyi， shénme shíhou kāi?

7. A：你 昨天 晚上 做 什么 了？

   Nǐ zuótiān wǎnshang zuò shénme le?

   B：_____。

   A：玩儿 得 怎么样？

   Wánr de zěnmeyàng?

   B：_____。

8. A：你 跳舞 跳 得 真 好。

   Nǐ tiàowǔ tiào de zhēn hǎo.

   B：_____。

9. A：你 昨天 做了 那么 多 饺子，还有 吗？

   Nǐ zuótiān zuòle nàme duō jiǎozi, hái yǒu ma?

   B：没有 了，_____。

   méiyǒu le

   A：你 这么 喜欢 吃 饺子 啊。

   Nǐ zhème xǐhuan chī jiǎozi a.

   B：_____。

五、小组活动 *Group work*

看表说一说　Look at the table and talk about it.

我们进步了！ Wǒmen jìnbù le!							
	语法 yǔfǎ	口语 kǒuyǔ	听力 tīnglì	汉字 Hànzì	中国画 zhōngguóhuà	太极拳 tàijíquán	考试 kǎoshì
马丁 Mǎdīng	☆☆☆	☆☆☆☆	☆☆☆☆☆	☆☆☆	☆☆☆☆☆	☆☆☆☆☆	☆☆☆☆
汉娜 Hànnà	☆☆☆☆	☆☆☆☆	☆☆☆☆	☆☆☆☆	☆☆☆	☆☆☆☆☆	☆☆☆☆☆
友美 Yǒuměi	☆☆☆☆☆	☆☆☆	☆☆☆☆☆	☆☆☆☆☆	☆☆☆	☆☆☆☆☆	☆☆☆☆☆
吉米 Jímǐ	☆☆☆	☆☆☆☆	☆☆☆☆	☆☆	☆☆☆	☆☆☆☆☆	☆☆☆
自己 zìjǐ							

任务一：互相问一问、说一说表中每个学生的学习情况。

Task 1: Ask and answer questions about how well each student studies according to the table.

任务二：根据你自己的学习情况填写，并互相问一问、说一说。

Task 2: Fill in the table according to your own case and talk about it in your group.

六、复习与表达 *Review and presentation*

1. 双人练习：回答问题　Pair work: Ask and answer the following questions.

（1）这个 学期 结束 了 吗？

　　Zhège xuéqī jiéshù le ma?

（2）你 觉得 时间 过 得 快 吗？

　　Nǐ juéde shíjiān guò de kuài ma?

（3）你 觉得 现在 自己 的 汉语 怎么样？

　　Nǐ juéde xiànzài zìjǐ de Hànyǔ zěnmeyàng?

（4）你 的 语法、口语、听力、汉字，哪个 好？

　　Nǐ de yǔfǎ、 kǒuyǔ、 tīnglì、 Hànzì, nǎge hǎo?

（5）你们 考试 了 吗？ 你 考 得 怎么样？

　　Nǐmen kǎoshì le ma? Nǐ kǎo de zěnmeyàng?

（6）考试 结束 以后，你 打算 干 什么？

　　Kǎoshì jiéshù yǐhòu, nǐ dǎsuan gàn shénme?

（7）你们 开过 晚会 吗？ 你们 玩儿 得 怎么样？

　　Nǐmen kāiguo wǎnhuì ma? Nǐmen wánr de zěnmeyàng?

（8）你 的 朋友，谁 唱歌 唱 得 好？ 谁 跳舞 跳 得 好？

　　Nǐ de péngyou, shéi chànggē chàng de hǎo? Shéi tiàowǔ tiào de hǎo?

（9）你 会 做 饺子 吗？ 你 爱 吃 饺子 吗？

　　Nǐ huì zuò jiǎozi ma? Nǐ ài chī jiǎozi ma?

（10）你 下 个 学期 还 在 这儿 学习 吗？

　　Nǐ xià ge xuéqī hái zài zhèr xuéxí ma?

2. 课堂展示：语段表达　Presentation

总结自己这个学期的学习情况。

Say a few sentences about your study this semester with the given words and sentence patterns.

参考词语和句式

学期	快	语法	口语	听力	汉字
xuéqī	kuài	yǔfǎ	kǒuyǔ	tīnglì	Hànzì
考试	v.＋得＋……		快要……了	结束	下学期
kǎoshì	v.＋de＋……		kuàiyào……le	jiéshù	xià xuéqī
那么	机会	希望	爱	开心	没想到
nàme	jīhuì	xīwàng	ài	kāixīn	méi xiǎngdào

挑战自我
Challenge Yourself

交际任务　*Communication task*

准备一份毕业留言，对你的老师和同学说说你的感受和愿望。

Write a few words in Chinese about your feelings about and wishes for your teachers and classmates as a valedictory.

_____

_____

_____

_____

_____

这些话，我能脱口而出

生词总表
Vocabulary

A	啊	à	*int.*	20		差	chà	*v.*	10
	啊	a	*part.*	11		差不多	chàbuduō	*adv.*	21
	爱	ài	*v.*	23		长	cháng	*adj.*	10
	爱好	àihào	*n.*	13		常常	chángcháng	*adv.*	21
B	八	bā	*num.*	3		超市	chāoshì	*n.*	8
	把	bǎ	*prep.*	20		吃	chī	*v.*	10
	吧	ba	*part.*	10		厨房	chúfáng	*n.*	14
	吧	ba	*part.*	12		窗户	chuānghu	*n.*	20
	班	bān	*n.*	6		春天	chūntiān	*n.*	21
	搬（家）	bān (jiā)	*v.*	14		从……到……	cóng……dào……		12
	办	bàn	*v.*	14	**D**	打	dǎ	*v.*	13
	半	bàn	*num.*	10		打	dǎ	*v.*	18
	帮（忙）	bāng (máng)	*v.*	19		打工	dǎgōng	*v.*	16
	帮助	bāngzhù	*v.*	16		打开	dǎkāi	*v.*	19
	棒	bàng	*adj.*	20		打算	dǎsuan	*n./v.*	17
	包	bāo	*n.*	19		大	dà	*adj.*	11
	包子	bāozi	*n.*	15		大家	dàjiā	*pron.*	13
	比赛	bǐsài	*n.*	22		当然	dāngrán	*adv.*	13
	别的	biéde	*pron.*	7		到	dào	*v.*	14
	别人	biéren	*pron.*	14		的	de	*part.*	9
	病	bìng	*v.*	18		得	de	*part.*	23
	播	bō	*v.*	22		低	dī	*adj.*	21
	不客气	bú kèqi		2		地方	dìfang	*n.*	8
	不	bù	*adv.*	5		点	diǎn	*m.*	10
C	才	cái	*adv.*	21		电话	diànhuà	*n.*	12
	菜	cài	*n.*	15		电脑	diànnǎo	*n.*	9
	参观	cānguān	*v.*	14		电视	diànshì	*n.*	12
	餐厅	cāntīng	*n.*	14		电视剧	diànshìjù	*n.*	22
	操场	cāochǎng	*n.*	22		电源	diànyuán	*n.*	19
	层	céng	*m.*	14		电子邮件	diànzǐ yóujiàn		22
	查	chá	*v.*	22		冬天	dōngtiān	*n.*	21

都	dōu	*adv.*	11
度	dù	*m.*	21
对	duì	*adj.*	6
对	duì	*prep.*	12
对不起	duìbuqǐ		2
对面	duìmiàn	*n.*	8
多	duō	*adv.*	10
多	duō	*adj.*	12
多	duō	*num.*	18
多	duō	*adv.*	22
多长	duō cháng		10
多少	duōshao	*pron.*	6
F 发音	fāyīn	*v.*	16
饭馆	fànguǎn	*n.*	13
方便	fāngbiàn	*adj.*	16
房间	fángjiān	*n.*	12
房租	fángzū	*n.*	14
放	fàng	*v.*	20
放假	fàngjià	*v.*	9
分	fēn	*m.*	10
分钟	fēnzhōng	*m.*	10
份	fèn	*m.*	16
服务	fúwù	*v.*	19
父母	fùmǔ	*n.*	17
附近	fùjìn	*n.*	8
G 干净	gānjìng	*adj.*	14
感兴趣	gǎn xìngqù		12
干	gàn	*v.*	18
刚才	gāngcái	*n.*	19
高	gāo	*adj.*	21
高兴	gāoxìng	*adj.*	4
哥哥	gēge	*n.*	6
个	gè	*m.*	6
给	gěi	*prep.*	18

跟	gēn	*prep.*	18
更	gèng	*adv.*	21
工作	gōngzuò	*v.*	12
公共汽车	gōnggòng qìchē		11
公司	gōngsī	*n.*	10
挂	guà	*v.*	20
广告	guǎnggào	*n.*	12
贵	guì	*adj.*	7
国	guó	*n.*	5
国家	guójiā	*n.*	21
过（节）	guò (jié)	*v.*	17
过	guo	*part.*	13
H 还	hái	*adv.*	6
还是	háishi	*conj.*	13
还是	háishi	*adv.*	22
汉语	Hànyǔ	*n.*	5
汉字	Hànzì	*n.*	13
好	hǎo	*adj.*	1
好吃	hǎochī	*adj.*	7
好玩儿	hǎowánr	*adj.*	15
号	hào	*m.*	14
号码（号）	hàomǎ (hào)	*n.*	12
和	hé	*conj.*	6
很	hěn	*adv.*	4
后边	hòubian	*n.*	8
互相	hùxiāng	*adv.*	16
欢迎	huānyíng	*v.*	20
环保	huánbǎo	*n.*	15
换	huàn	*v.*	20
回	huí	*v.*	10
回来	huílai	*v.*	10
会	huì	*v./aux.*	16
J 机会	jīhuì	*n.*	23
极（了）	jí (le)	*adv.*	15

卖	mài	*v.*	7		您	nín	*pron.*	1
满	mǎn	*adj.*	19		女生	nǔshēng	*n.*	6
忙	máng	*adj.*	11	**O**	哦	ò	*int.*	9
没（有）	méi (yǒu)	*v.*	6	**P**	旁边	pángbiān	*n.*	8
没（有）	méi (yǒu)	*adv.*	13		跑步	pǎobù	*v.*	22
没关系	méi guānxi		2		朋友	péngyou	*n.*	4
没问题	méi wèntí		9		碰见	pèngjiàn	*v.*	15
没意思	méi yìsi		14		便宜	piányi	*adj.*	7
每	měi	*pron.*	10		漂亮	piàoliang	*adj.*	11
妹妹	mèimei	*n.*	6		瓶	píng	*n.*	7
门	mén	*n.*	20		葡萄	pútao	*n.*	7
们	men	*suf.*	1	**Q**	骑	qí	*v.*	11
面包	miànbāo	*n.*	7		起床	qǐchuáng	*v.*	10
名片	míngpiàn	*n.*	12		气温	qìwēn	*n.*	21
名胜古迹	míngshèng gǔjì		17		前边	qiánbian	*n.*	8
名字	míngzi	*n.*	5		钱	qián	*n.*	7
明天	míngtiān	*n.*	3		墙	qiáng	*n.*	20
N 拿	ná	*v.*	19		请	qǐng	*v.*	14
哪	nǎ	*pron.*	5		请问	qǐngwèn	*v.*	8
哪里	nǎlǐ	*pron.*	23		庆祝	qìngzhù	*v.*	23
哪儿	nǎr	*pron.*	8		秋天	qiūtiān	*n.*	21
那	nà (nèi)	*pron.*	7		去	qù	*v.*	9
那	nà	*conj.*	18		去年	qùnián	*n.*	13
那么	nàme	*pron.*	23	**R**	人	rén	*n.*	4
那儿	nàr	*pron.*	13		认识	rènshi	*v.*	4
那些	nàxiē	*pron.*	22		日/号	rì / hào	*n.*	3
男生	nánshēng	*n.*	6		容易	róngyì	*adj.*	16
难	nán	*adj.*	16		肉	ròu	*n.*	15
呢	ne	*part.*	5	**S**	上课	shàngkè	*v.*	10
呢	ne	*part.*	22		上午	shàngwǔ	*n.*	10
能	néng	*aux.*	16		上	shang	*n.*	22
你	nǐ	*pron.*	1		少	shǎo	*adj.*	15
你们	nǐmen	*pron.*	1		谁	shéi (shuí)	*pron.*	5
年	nián	*m.*	23		什么	shénme	*pron.*	5

写	xiě	*v.*	16		阴（天）	yīn (tiān)	*n.*	21
谢谢	xièxie	*v.*	2		音乐	yīnyuè	*n.*	18
新	xīn	*adj.*	15		应该	yīnggāi	*aux.*	22
新闻	xīnwén	*n.*	18		英语	Yīngyǔ	*n.*	16
星期二	xīngqī`èr	*n.*	3		用	yòng	*v.*	19
星期六	xīngqīliù	*n.*	3		邮局	yóujú	*n.*	8
星期日	xīngqīrì	*n.*	3		游泳	yóuyǒng	*v.*	13
星期一	xīngqīyī	*n.*	3		有	yǒu	*v.*	6
行	xíng	*v.*	19		有的	yǒude	*pron.*	10
兴趣	xìngqù	*n.*	12		有点儿	yǒudiǎnr	*adv.*	20
姓	xìng	*v.*	4		有名	yǒumíng	*adj.*	15
修	xiū	*v.*	19		又……又……	yòu……yòu……		13
学期	xuéqī	*n.*	23		右边	yòubian	*n.*	14
学习	xuéxí	*v.*	5		雨	yǔ	*n.*	14
学校	xuéxiào	*n.*	8		雨伞	yǔsǎn	*n.*	14
Y 要	yào	*v.*	7		语伴	yǔbàn	*n.*	16
要	yào	*aux.*	15		语法	yǔfǎ	*n.*	23
要是	yàoshi	*conj.*	17		预报	yùbào	*v.*	21
也	yě	*adv.*	4		远	yuǎn	*adj*	8
也许	yěxǔ	*adv.*	17		月	yuè	*n.*	3
一……就……	yī……jiù……		15		**Z** 再	zài	*adv.*	7
一定	yídìng	*adv.*	15		再见	zàijiàn	*v.*	1
一共	yígòng	*adv.*	7		在	zài	*v.*	8
（一）会儿	(yí) huìr	*n.*	18		在	zài	*prep.*	11
一下	yíxià		20		咱们	zánmen	*pron.*	9
一样	yíyàng	*adj.*	20		早上	zǎoshang	*n.*	2
一般	yìbān	*adj.*	21		怎么	zěnme	*pron.*	7
一边	yìbiān	*adv.*	22		怎么样	zěnmeyàng	*pron.*	9
一起	yìqǐ	*adv.*	9		张	zhāng	*m.*	20
已经	yǐjīng	*adv.*	19		找	zhǎo	*v.*	16
以后	yǐhòu	*n.*	16		照片	zhàopiàn	*n.*	20
以前	yǐqián	*n.*	20		这	zhè	*pron.*	6
椅子	yǐzi	*n.*	20		这么	zhème	*pron.*	19
因为	yīnwèi	*conj.*	21		这儿	zhèr	*pron.*	14

这样	zhèyàng	*pron.*	18	装	zhuāng	*v.*	19
真	zhēn	*adv.*	14	桌子	zhuōzi	*n.*	20
整齐	zhěngqí	*adj.*	20	自己	zìjǐ	*pron.*	18
（正）在	(zhèng) zài	*adv.*	22	自行车	zìxíngchē	*n.*	11
知道	zhīdao	*v.*	16	~总	~zǒng		12
中餐	zhōngcān	*n.*	13	走路	zǒulù	*v.*	11
中国画	zhōngguóhuà	*n.*	13	足球	zúqiú	*n.*	13
中文	Zhōngwén	*n.*	18	最	zuì	*adv.*	12
中午	zhōngwǔ	*n.*	13	最近	zuìjìn	*n.*	11
种	zhǒng	*m.*	7	左边	zuǒbian	*n.*	14
周末	zhōumò	*n.*	15	左右	zuǒyòu	*n.*	21
主意	zhǔyi	*n.*	20	作业	zuòyè	*n.*	18
住	zhù	*v.*	11	坐	zuò	*v.*	11

专有名词
Proper Nouns

B	北京	Běijīng	12	**T**	天津	Tiānjīn	15
	冰雪节	Bīngxuě Jié	17	**X**	香港	Xiānggǎng	17
D	德国	Déguó	5	**Y**	英国	Yīngguó	4
E	俄罗斯	Éluósī	6		元旦	Yuándàn	17
H	哈尔滨	Hā'ěrbīn	17	**Z**	中国	Zhōngguó	4
	韩国	Hánguó	4		中国银行	Zhōngguó Yínháng	8
	花园小区	Huāyuán Xiǎoqū	11		中秋节	Zhōngqiū Jié	9
S	圣诞节	Shèngdàn Jié	17				

"语音练习" 词语表
Vocabulary of Pronunciation

《发展汉语》（第二版）
基本使用信息

教　材	适用水平	每册课数	每课建议课时	每册建议总课时
初级综合（I）	零起点及初学阶段	30课	5课时	150-160
初级综合（II）		25课	6课时	150-160
中级综合（I）	已掌握2000-2500词汇量	15课	6课时	90-100
中级综合（II）		15课	6课时	90-100
高级综合（I）	已掌握3500-4000词汇量	15课	6课时	90-100
高级综合（II）		15课	6课时	90-100
初级口语（I）	零起点及初学阶段	23课	4课时	92-100
初级口语（II）		23课	4课时	92-100
中级口语（I）	已掌握2000-2500词汇量	15课	6课时	90-100
中级口语（II）		15课	6课时	90-100
高级口语（I）	已掌握3500-4000词汇量	15课	4课时	60-70
高级口语（II）		15课	4课时	60-70
初级听力（I）	零起点及初学阶段	30课	2课时	60-70
初级听力（II）		30课	2课时	60-70
中级听力（I）	已掌握2000-2500词汇量	30课	2课时	60-70
中级听力（II）		30课	2课时	60-70
高级听力（I）	已掌握3500-4000词汇量	30课	2课时	60-70
高级听力（II）		30课	2课时	60-70
初级读写（I）	零起点及初学阶段	15课	2课时	30-40
初级读写（II）		15课	2课时	30-40
中级阅读（I）	已掌握2000-2500词汇量	15课	2课时	30-40
中级阅读（II）		15课	2课时	30-40
高级阅读（I）	已掌握3500-4000词汇量	15课	2课时	30-40
高级阅读（II）		15课	2课时	30-40
中级写作（I）	已掌握2000-2500词汇量	15课	2课时	30-40
中级写作（II）		15课	2课时	30-40
高级写作（I）	已掌握3500-4000词汇量	12课	2课时	30-40
高级写作（II）		12课	2课时	30-40

图书在版编目（CIP）数据

初级口语.1 / 王淑红等编著. — 2版. — 北京：
北京语言大学出版社，2012.3（2014.9重印）
（发展汉语）
ISBN 978-7-5619-3247-6

Ⅰ.①初…　Ⅱ.①王…　Ⅲ.①汉语－口语－对外汉语
教学－教材　Ⅳ.①H195.4

中国版本图书馆 CIP 数据核字（2012）第 030625 号

书　　名: 发展汉语（第二版）初级口语（Ⅰ）
责任印制: 汪学发

出版发行: 北京语言大学出版社
社　　址: 北京市海淀区学院路 15 号　　邮政编码: 100083
网　　址: www.blcup.com
电　　话: 发行部　82303650 / 3591 / 3651
　　　　　编辑部　82303647 / 3592
　　　　　读者服务部　82303653
　　　　　网上订购电话　82303908
　　　　　客户服务信箱　service@blcup.com
印　　刷: 北京中科印刷有限公司
经　　销: 全国新华书店

版　　次: 2012 年 3 月第 2 版　　2014 年 9 月第 6 次印刷
开　　本: 889 毫米 × 1194 毫米　　　1/16
印　　张: 17
字　　数: 353 千字
书　　号: ISBN 978-7-5619-3247-6 / H·12025
定　　价: 65.00 元

凡有印装质量问题，本社负责调换。电话: 82303590